DÉRAILLER

J'espère que vous aurez autant de plaisir à lire cette histoire que moi j'en ai eu à l'imaginer !

Brigitte.

Projet dirigé par Marie-Noëlle Gagnon, éditrice

Conception graphique : Nathalie Caron
Mise en pages : Interscript
Révision linguistique : Marie-Christine Payette, Sylvie Martin
et Sophie Sainte-Marie
En couverture : © shutterstock/Maksim Mazur

Québec Amérique
329, rue de la Commune Ouest, 3e étage
Montréal (Québec) Canada H2Y 2E1
Téléphone : 514 499-3000, télécopieur : 514 499-3010

Nous reconnaissons l'aide financière du gouvernement du Canada par l'entremise du Fonds du livre du Canada pour nos activités d'édition.

Nous remercions le Conseil des arts du Canada de son soutien. L'an dernier, le Conseil a investi 157 millions de dollars pour mettre de l'art dans la vie des Canadiennes et des Canadiens de tout le pays.

Nous tenons également à remercier la SODEC pour son appui financier. Gouvernement du Québec – Programme de crédit d'impôt pour l'édition de livres – Gestion SODEC.

Canada

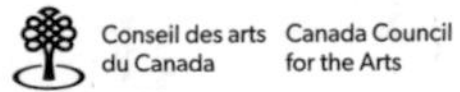

SODEC
Québec

Catalogage avant publication de Bibliothèque et Archives nationales du Québec et Bibliothèque et Archives Canada

L'Archevêque, Brigitte
Dérailler
(Latitudes)
ISBN 978-2-7644-3066-8 (Version imprimée)
ISBN 978-2-7644-3067-5 (PDF)
ISBN 978-2-7644-3068-2 (ePub)
I. Titre. II. Collection : Latitudes (Éditions Québec Amérique).
PS8623.A746D47 2016 C843'.6 C2015-942299-X
PS9623.A746D47 2016

Dépôt légal, Bibliothèque et Archives nationales du Québec, 2016
Dépôt légal, Bibliothèque et Archives du Canada, 2016

quebec-amerique.com

Imprimé au Québec

DÉRAILLER

BRIGITTE L'ARCHEVÊQUE

Québec Amérique

1. Autoroute

La routine était ce qui définissait mon existence. J'avais cru pouvoir m'en accommoder, j'avais eu tort. Tellement que ce fut fatal.

J'avais cru pouvoir tout endurer pour jouir d'une vie sereine à la campagne. Or, j'avais gravement mésestimé cette bande grise ennuyante, infinie, qui se déroulait devant mes yeux lassés chaque soir et chaque matin des heures durant. J'aurais pu tout voir et tout lire, sauf ces mots insignifiants sur les panneaux de signalisation en aluminium vert que je devais subir en déroulement continu au-dessus de ma tête.

La routine biquotidienne de l'autoroute me plongeait dans un état hypnotique voisin de la narcolepsie. La répétition inlassable des lignes blanches sur le macadam m'engourdissait lentement, telle une léthargie profonde qui m'entraînait, je le sentais, vers la catatonie existentielle.

Au cours des semaines, des mois, des années (oui, des années), je m'étais fabriqué un enfer personnel impossible à éviter. Je travaillais en ville et j'avais choisi de vivre à la campagne. C'est l'asphalte qui y menait.

J'essayais au moins de ne plus lire les indications: « Pont de... », « Rivière des... », « Ville de Sainte-... », « pour les trois prochaines sorties... », « Attention! Congestion sur les huit prochains kilomètres ». Mais mon cerveau sous-utilisé avait soif de divertissement. Il s'agrippait au peu qu'il voyait, il décryptait les barres, les points et les lignes malgré moi. Il manquait trop de stimuli et d'excitation pour me laisser en paix et je relisais la même chose deux fois par jour, et ce, depuis des siècles d'ennui.

Le reste de ma vie, ça allait. Je ne vais pas prétendre que je vivais l'existence idéale avec ma femme, mon fils, la maison en banlieue éloignée, le garage double, le barbecue et les fins de semaine au bord de la piscine... Je ne vais pas non plus cracher dans la soupe et me plaindre de ma petite vie monotone. C'est ce que nous avions construit, c'est ce que nous avions prévu: la moitié de l'humanité vit sans eau courante et se demande ce qu'elle va manger le lendemain. Ça aurait été déraisonnable de ma part de pleurnicher parce que mon épouse me négligeait quelquefois pour la culture physique dans toutes ses manifestations et que mon fils passait l'essentiel de son temps les yeux aplatis sur des consoles de jeux.

C'est seulement le maudit trajet quotidien de l'aller-retour au travail qui me rendait folle.

Latitudes

PREMIÈRE IMPRESSION

Québec Amérique est fière d'offrir un espace de création aux auteurs émergents ; avec la mention « Première Impression », elle souligne la parution de leur premier livre.

Oui, j'ai bien dit « folle ». Mon fils était, une fois n'est pas de coutume, pourvu de deux mères. Nous avions la joie de former un couple très moderne, certes, mais défavorablement assorti, il faut aussi l'admettre.

Mon épouse était d'un naturel jaloux, ce qui, franchement, ne cessait de m'étonner. À mes yeux, c'était absolument incompréhensible. C'était elle, le morceau de choix, et moi, la variété plus qu'ordinaire. D'ailleurs, elle n'avait rien à craindre : je n'allais jamais nulle part et personne ne faisait la ligne pour sonner à ma porte.

C'était elle, la pierre angulaire de notre couple. C'était grâce à elle que j'arrivais encore à me regarder dans le miroir sans avoir l'impression d'avoir tout raté. Je ne comprenais toujours pas par quelle chance j'avais pu tomber sur une femme aussi exceptionnelle et ce qu'elle pouvait bien faire avec quelqu'un comme moi.

Déjà, c'était une blonde carrée, superbe, musclée, respirant force et santé comme une pub de vélo. Moi, j'étais plutôt de la race des mous. J'aurais aimé lui faire honneur, mais c'était raté. Oh ! il arrivait quand même à ma pas-si-douce moitié de perdre patience et d'exiger que je me prenne en main. Elle aurait aimé que je sois plus en santé, plus physique. Malheureusement, mon manque de volonté me cantonnait pitoyablement dans la catégorie des patates de salon malgré toutes mes tentatives de compenser ce triste état de fait. Je cachais tant bien que mal ma médiocrité en étant parfaite au foyer, pour au moins donner le bon exemple à notre fils, mais j'annihilais tout ce beau travail une fois seule au bureau. Ma faiblesse faisait tache et me remplissait de honte secrète. Je dépensais beaucoup d'énergie pour faire en sorte que personne (y compris moi-même, parfois) ne s'aperçoive de celle-ci.

Cet aspect de ma personnalité émergeait en semaine. Au bureau, c'était la débandade. Il y a pire qu'un boulot plate : un boulot répétitif et incroyablement stressant par-dessus le marché. Je ne bossais qu'avec des femmes et j'étais poule en chef. On m'avait choisie pour agir comme courroie de transmission des désirs de la haute direction. La compétence qui m'avait fait sortir du lot pour cette promotion était essentiellement mon incapacité avérée à dire non à mes supérieurs. D'ailleurs, cette qualité était très appréciée dans cette boîte familiale où c'était toujours le vieux qui décidait, même de son grabat.

Moi : une petite brunette avec un cul large comme une bouteille de chianti ; des cheveux frisés limite crépus qui poussaient à la verticale et que j'aplatissais méticuleusement chaque matin ; un front froncé en permanence, couplé à des rides précoces ; une physionomie qui me donnait un air sévère et qui m'aidait considérablement à diriger ma basse-cour. J'avais un mal fou à remplir mon rôle, car dire toujours oui au boss impliquait forcément que je devais servir un non catégorique à l'étage du bas. Je m'habillais pour tenter de créer une illusion d'autorité. Des vêtements en série prévus pour l'usage de la semaine : tailleur coupé genre bonne sœur et chemisiers que je pouvais interchanger sans que rien y paraisse. Pas de jeans, personne n'a jamais vu une amphore affublée de jeans. Je n'étais pas vraiment élégante, mais je savais qu'au bureau comme à la maison on ne m'imaginait pas autrement qu'avec cette carapace.

Je dirigeais l'équipe qui devait sortir les commandes de gros appareils de réfrigération de type industriel pour le marché international. C'étaient toujours les mêmes embûches : des bris, des conteneurs égarés, des retards postaux, des douaniers stupides qui nous mettaient des bâtons dans les roues pour des broutilles. De plus, respecter les délais et éviter les pénalités tenait souvent de la haute voltige administrative. Si ça allait sur des roulettes, on félicitait ma troupe. Quand ça coinçait, c'est moi qui recevais les claques.

J'avais donc rarement le goût de faire ma marche du midi, comme Catherine me le conseillait pour rester en forme la semaine, et encore moins la volonté d'endurer l'estomac qui gargouillait. La boîte à lunch préparée par ses bons soins me semblait trop légère et ne m'offrait aucun réconfort. Je finissais toujours par craquer une ou deux fois par jour devant la machine à bonbons et par compléter mon dîner avec un machin cuit dans l'huile. Dès que j'avais un break, j'en profitais pour me vider la cervelle avec des romans-savons quasi pornos que je planquais au bureau pour éviter que Catherine n'apprenne que je m'adonnais à des lectures aussi débiles.

Ce laisser-aller ne me rendait pas des plus spectaculaire au lit, et je savais que cela désespérait ma douce moitié. J'y mettais du mien ; voilà au moins un aspect de notre vie commune où ma volonté ne faisait jamais défaut. Mais j'avais la flexibilité et la délicatesse d'un cachalot et aucun talent transversal pour pallier mes faiblesses inhérentes.

Alors, vraiment, que mon épouse soit jalouse, c'était un mystère qui ne cessait de m'ébahir.

Par opposition à moi qui étais molle en tout, âme et corps, Catherine avait un caractère presque trop bien trempé. Il faut dire qu'elle était dans la police et qu'elle avait intérêt à demeurer constamment sur ses gardes. Elle ne devait pas se laisser marcher sur les pieds, autant lors de ses rencontres quotidiennes avec l'honnête citoyen lambda en train de dérailler qu'avec ses congénères, qui étaient tous plus ou moins potentiellement en mode stress pré-post-traumatique, prêts à exploser.

Je supportais très mal l'inquiétude de l'imaginer dans ses tâches journalières. Alors, elle ne me racontait rien et notre couple ne s'en portait que mieux.

Si je jouais à l'autruche de la sorte, c'était à cause d'un malheureux événement survenu cinq ans auparavant et qui avait conduit la seule voiture pour laquelle j'avais eu un sentiment d'affection directement à la cour à scrap.

Catherine avait, comme il se doit, dénoncé un confrère qui présentait de sérieux problèmes de consommation. Un type pas fait pour la force publique, qui perdait les pédales au moindre désagrément, un danger sur deux pattes pour ses collègues et lui-même. Ce zigoto au tempérament hautement instable avait fini par apparaître dans notre entrée de garage en pleine nuit, complètement imbibé, pour régler ses comptes. Catherine était sortie pour le calmer pendant que j'essayais de rassurer notre fils terrorisé par tout le raffut et de saisissants hurlements d'une violence à vous faire dresser les cheveux sur la tête. Elle n'avait eu aucun succès, il faut croire. Fou furieux, dépité que mon épouse ait dénoncé sa condition d'ivrogne, il s'était vengé sur ma pauvre machine adorée et l'avait détruite très méthodiquement à coups de batte de baseball. Au lever du jour, il ne me restait qu'une masse de vitre brisée et de tôle rouge ratatinée à contempler. Je n'ai jamais compris pourquoi Catherine n'avait pas pu intervenir davantage pour épargner ma chère cocotte ; elle n'avait pas voulu commenter ce qui s'était passé.

J'en avais déduit que cet enragé avait dû être capoté raide pour provoquer une inertie aussi atypique chez mon épouse. Cela m'avait ouvert les yeux : l'idée qu'un allumé, entraîné à même mes impôts, puisse surgir à mon adresse à tout moment, quelqu'un qui avait côtoyé Catherine pendant des années, qui avait possiblement même patrouillé avec elle, quelqu'un dont Catherine avait vraisemblablement dépendu pour sa sécurité sur le terrain et qui maintenant nous menaçait physiquement, elle et notre famille, m'avait menée à l'extrême limite de ce que je voulais savoir des journées passées dans le panier de crabes qu'était le poste de police. Je l'avais sommée de changer de job. Elle s'était mise dans une colère noire et m'avait accusée de monter une simple dispute en épingle.

Il avait fallu que je me rende à l'évidence.

Ma femme était incapable de renoncer à cette profession. Elle se définissait en tant que policière avant même de se définir en tant que personne. Mais, après cet événement, je ne pouvais plus déjeuner avec une police, passer mes soirées avec une police et coucher avec une police. C'était trop dur.

Elle avait bien tenté de me rassurer en m'annonçant que le collègue fautif était déchu et proscrit, mais j'étais à bout de patience et de nerfs. Nous avions donc opté pour le silence hypocrite. J'aimais prétendre qu'elle travaillait au poste à classer des amendes non payées. Je faisais semblant et on n'en a plus jamais discuté.

C'était un manque de courage de ma part, une lâcheté honteuse, je l'avoue.

Elle, elle n'avait pas ce genre de problème avec mon métier, et franchement, je doute qu'avec son caractère elle m'eût laissée risquer ma peau comme elle le faisait allègrement.

Dans tous les cas, je n'ai pas l'intention de blâmer mon épouse, ni de me draper dans l'excuse de la crise de la quarantaine qui se pointait à l'horizon pour les bêtises que j'ai commises. D'ailleurs, je n'en avais jamais fait, des bêtises, même à l'âge hautement ingrat qu'est l'adolescence. Je suis juste tombée dedans sans me rendre compte de rien, avec un étonnement épais, comme quelqu'un qui s'enfonce avec sa voiture dans un nid-de-poule monstrueux de cinq mètres carrés au printemps. La réalité s'est dérobée sous mes pieds et plus rien n'a été logique par la suite.

La chose la plus hors norme que j'avais faite jusque-là était d'avoir commencé à coucher avec une fille au lieu d'un gars au collège. Pour tout le reste, c'était le parcours classique d'une existence ordinaire. J'avais mené une vie planifiée avec soin pour m'assurer d'avoir en main tous les ingrédients nécessaires au bonheur : j'avais marié la personne avec laquelle j'avais baisé en premier, et j'avais toujours été sérieuse, à la limite de ce qui était permis sans me faire médicamenter pour dépression. Nous avions construit une maison trop loin du centre-ville, certes, mais selon nos rêves à nous et avec une grande cour arrière.

Après dix ans de vie commune, et quand la loi avait passé, on s'était mariées et on avait eu un fils. Cette dernière étape avec l'aide de la science, bien entendu. Catherine ne pouvait pas, alors c'est moi qui l'ai engendré. Je l'ai porté sans trop me poser de questions et il est sorti neuf mois plus tard. Il était curieusement blond, ressemblant comme un clone à ma femme, ce qui attestait de l'excellence des services de la banque de sperme. J'étais fière d'avoir une épouse et un fils que l'on remarquait. Même si je n'avais jamais l'air de faire partie de la photo familiale.

Hormis ce détail négligeable à notre époque, celui d'avoir posé deux mariées de plastique en robe blanche sur le gâteau de noce, j'avais une vie comme toutes les autres.

En fait, mon existence était un sans-faute sans que je l'aie mérité. J'avais simplement crié « présente ! » comme une excellente élève à chaque étape prévue dans mon plan de vie. Une femme qui a rencontré quelqu'un, s'est mariée, a accouché d'un fils sportif et studieux, et qui s'inquiétait maintenant de savoir si, après vingt ans de ménage, elle était physiquement à niveau pour garder le nœud du lien du mariage assez serré pour que ça tienne encore. Accessoirement, je me faisais du mauvais sang pour des broutilles complètement débiles, comme de me demander si notre foyer avait les moyens de se payer un nouvel abonnement ultrarapide vers le cyberespace.

Et puis un jour, en rentrant du centre-ville par l'autoroute comme d'habitude, juste après avoir traversé le pont, j'eus un sursaut de lucidité : je détestais ce pont. Cela faisait presque vingt ans que je le parcourais deux fois par jour, le nez dans le cul du char d'en avant et le nez du char d'en arrière qui m'enculait. Il me restait encore vingt ans au moins avant ma retraite, donc autant de temps à traverser ce crisse de pont soir et matin dans un gang bang d'acier désespérant. Il n'y avait pas d'issue possible à cette misère.

Cette triste constatation fut la petite tape dans le dos, l'élément déclencheur de ma perte d'équilibre. À partir de ce moment-là, je fus attirée toujours plus bas, très lentement, en direction du gouffre. Puis avec une accélération de plus en plus rapide, jusqu'à basculer complètement dans le vide qui s'ouvrait devant moi.

2. Émilie

Je la vis sur l'autoroute à partir d'un lundi, au retour du bureau, vers la sortie dix avant le pont. La neige commençait à fondre. C'était comme goûter à du beurre après un régime de pain sec. Il y avait enfin autre chose exactement à l'endroit où auparavant ne trônait qu'une triste indication pour sortir.

En bordure de la route, une boulotte fagotée à la gothique avec un air mi-effaré, mi-adolescent, effronté, le pouce vers le haut, de grosses bottes de cuir menaçantes, une jupe noire qui mangeait la poussière en traînant dans la gravelle, de longs cheveux au vent, teints eux aussi d'un noir mat qui absorbe la lumière, un noir chimique irréaliste. Elle portait un piercing au visage et mâchait sa gomme avec une force démesurée, comme si c'était une arme défensive. Comme si les maniaques qui risquaient de l'embarquer allaient en avoir peur !

Pendant plusieurs soirées de suite, je m'inquiétai pour elle après l'avoir aperçue. Viols, enlèvements, tortures, tout ce qui nourrit les premières pages des journaux doit bien sortir de quelque part. Ce n'est quand même pas inventé de toutes pièces pour servir au citoyen angoissé sa première dose d'adrénaline en accompagnement de son café matinal ! À mon réveil avec le chant des oiseaux, je craignais de voir sa mine rebelle de lutin déconfit jetée devant mon seuil de porte et enroulée avec un élastique.

Car chaque soir, je la voyais plantée là à la même heure avec son air buté, invitant, narguant le maniaque potentiel à se préparer pour la cueillir. Mon inquiétude pour elle grandissait.

Je ne pensai même jamais qu'elle, elle pourrait me causer du tort.

Un jeudi de printemps, après une journée particulièrement psychotique au bureau, trois de nos conteneurs ayant été confisqués par les douaniers d'un pays attardé, je ne l'aperçus pas à son poste sur la voie de service. Je savais que c'était probablement parce que quelqu'un avait accepté de la reconduire le diable seul sait où, à moins qu'elle n'ait cessé son manège. Mais j'en devins si anxieuse que Catherine le remarqua, au souper. J'acquiesçais encore plus à tout ce qu'elle disait qu'à mon habitude. Curieusement, je ne lui en parlai pas, même si c'était assez anodin. Je me sentais vaguement coupable de m'inquiéter à ce point pour une parfaite étrangère.

Le vendredi : fantastique ! Elle était là. Son petit pouce à l'ongle de noir verni en l'air, mastiquant son arme de destruction massive avec détermination. Je m'arrêtai en bordure, en freinant en longueur avec un ralenti mal maîtrisé. Je finis un peu trop loin devant elle. Je descendis la fenêtre électrique à peine de l'ouverture d'une main et la regardai à travers la fente. Elle soufflait comme un bouledogue de m'avoir rattrapée. Son accoutrement n'apparaissait pas bien méchant, vu de près. C'était trop baroque et théâtral pour être pris au sérieux. Les dangereux, normalement, sont ceux qui ressemblent à de parfaits imbéciles ordinaires; on ne s'en méfie pas. Je lui demandai où elle allait: Saint-Machin-Truc. Jadis village de campagne, c'était nouvellement devenu le terminus du train de banlieue et, par définition, une excroissance cancéreuse de la métropole avec ses restaurants à déglutition rapide et ses centres d'achats infinis.

Elle s'installa à côté de moi en swignant sur la banquette arrière une espèce de poche en cuir qui avait une odeur de fond de cave. Je lui posai plusieurs questions sans recevoir autre chose que des « wouan » et des « mouais » typiques de l'ado qu'elle était. Au lieu de me parler, elle regardait droit devant elle d'un air buté en mâchant sa merde.

Elle avait un profil étrange, sans menton, disgracieuse caractéristique renforcée par un embonpoint qui devait flirter avec l'obésité. Elle arborait un piercing à la joue gauche qui, malheureusement, attirait l'attention sur une acné mal maîtrisée. La seule fois que je réussis à avoir une réponse, ce fut pour obtenir l'adresse de sa destination: un restaurant de la vieille ville. J'étais un peu blessée par son mutisme; quand même, je lui rendais service!

Son silence impoli, presque offensif, son repli sur elle-même et son barrage exagéré envers toute communication humaine eurent pour résultante que je n'avais plus l'intention de reprendre cette adolescente ingrate à bord. D'autant plus qu'elle avait taché mon siège avec sa teinture cheap. J'en conclus donc que c'est l'ennui profond qui me fit changer d'idée quand je la revis le lundi et que je la fis monter de nouveau. Cette deuxième rencontre fut à peu près aussi peu enthousiasmante que la première. Cette fois-là, par contre, elle me donna son nom, Émilie, expectoré entre deux ballounes, presque avec la même désinvolture qu'un crachat sur un trottoir.

Dès lors, je m'arrêtai pour la prendre chaque fois que je l'apercevais. Au fil de mes retours quotidiens, j'en vins à mieux la connaître, et la transformation de notre relation fut lente, mais spectaculaire.

À coups de petites pointes de conversation et surtout de ce qu'elle ne disait pas, j'arrivai à avoir d'elle un portrait plus exact. C'était, on s'en doutait, une jeune femme mal dans sa peau : elle se trouvait grosse et laide. Malheureusement, ce n'était pas que dans son imagination.

Elle avait la forme d'une énorme poire sur laquelle on avait juché de maigres épaules, auxquelles deux boudins de bras trop courts s'accrochaient par miracle. Elle arborait un visage peu plaisant d'un teint crayeux, le tout surmonté de cheveux trop rares affligés de cette consternante teinture.

Elle avait achevé le strict minimum d'éducation permis par la loi, une brique de plus qui alourdissait son bagage personnel déjà encombrant. Tout son être témoignait d'un complexe d'infériorité si évident que c'était pénible juste à la regarder. Elle se croyait idiote, mais je savais, à force de l'observer, que ce n'était pas vrai.

Elle avait vingt-trois ans, mais l'air d'en avoir à peine quinze. Elle habitait depuis cinq ans chez son père avec ses frères et sa sœur en ville. Quelque chose dans son histoire semblait aussi réaliste qu'un soap d'après-midi qui dure depuis trente ans: pourquoi aller travailler au bout du monde civilisé pour laver de la vaisselle quand on vit déjà dans l'une des zones au plus haut taux de concentration commerciale au pays? Pourquoi déménager chez son père à dix-huit ans, et pas avant?

Au début, je me disais qu'elle subissait plutôt les assauts pathétiques d'un pourvoyeur croulant lubrique ou d'un papa gâteux avec des inclinaisons médiévales gothiques. Je pensais que son histoire d'habiter chez son paternel était fabriquée. Mais un jour, je la trouvai complètement démontée, tout écorchée vive, après une crise familiale. Je m'aperçus qu'en fait j'avais tout bêtement affaire à une petite fille à papa qui n'avait pas le profil habituel. Sous le couvert d'une nonchalance cultivée à coups de teinture noire et de trou dans le visage, elle vouait en réalité à son père une admiration sans commune mesure. Une admiration telle qu'un homme qui récupère sa progéniture juste à l'âge adulte ne devrait pas recevoir. Et ce jour-là, j'ai vu une gamine qui avait mal à ses illusions, lesquelles avaient été malmenées par des parents inconscients.

Le soir d'avant, la blonde du papa, belle-maman obligée, mais honnie entre toutes, avait momentanément oublié de jouer son rôle de grande personne. Enfin, c'est ce que je déduisis grâce à la description d'Émilie. Elle avait traumatisé toute la marmaille de la maisonnée. Émilie paraissait avoir régressé mentalement de dix ans. Elle me raconta l'histoire en désordre, décrivant les instants de la soirée par ordre de gravité psychologique au lieu de suivre la chronologie.

Belle-maman avait calé les trois quarts d'une bouteille de fort. Puis elle s'était donnée en spectacle, déballant au-dessus de la table du souper, avec un luxe de détails minutieux, ce que les enfants ne veulent jamais entendre de la bouche de leurs parents : un compte rendu pornographique très pointu des relations avec le papa. J'en aurais presque ri si la pauvre Émilie n'avait pas été aussi traumatisée.

C'est, il est vrai, un sujet de conversation particulièrement rebutant à avoir avec ses géniteurs. Les enfants peuvent bien proclamer tout savoir sur le sexe, cela n'inclut toutefois pas celui de leur papa, surtout si c'est pour hurler à la terre entière qu'il est nul.

Je crus comprendre que ça faisait un bon moment que toute la maisonnée, même le paternel, selon Émilie, espérait qu'elle mettrait les voiles, mais que tous la supportaient pour le salut de la petite dernière, dont elle était la maman.

Au cours des semaines suivantes, je me demandai de plus en plus souvent pourquoi Émilie travaillait si loin, surtout que le père était supposément propriétaire d'un bar pratiquement à deux pas de la maison familiale. Et puis je saisis que le bar en question avait été jugé peu approprié pour les relations père-fille, pour ne pas dire les relations mâle-femelle tout court, à tout le moins quand l'argent liquide n'entrait pas en ligne de compte.

De sa vie d'avant, d'avant qu'elle retrouve son papa, je n'arrivai à soutirer aucun souvenir, bon ou mauvais, aucune bribe d'information. Quand on lui parlait, c'était comme si elle avait vu le jour cinq ans plus tôt, sans l'aide d'une mère, d'un monstrueux utérus impersonnel qui l'aurait en une seule contraction éjectée comme un bouchon de champagne, directement de la matrice à sa chambre du rez-de-chaussée de sa demeure actuelle.

Contre toute attente, je m'attachai à elle. Je lui donnai mon numéro de cellulaire en lui faisant promettre qu'elle ne monterait plus jamais avec un banlieusard insatisfait de la vie sur l'autoroute et de toujours bien m'attendre. Puis j'en vins à aller la chercher au terminus du métro, un détour de trente minutes, pour profiter davantage de sa compagnie et être sûre qu'elle ne croiserait pas le fer avec un papy schizophrène assaisonné au Viagra. Pour le retour, j'étais tranquille, le vieux cuisinier la reconduisait à sa porte en fin de soirée, car il habitait le même quartier qu'elle.

J'en étais arrivée à être une heure plus tard chez moi le soir, une heure de moins pour mon fils et ma femme, une heure de plus pour moi. Quand mon épouse me demanda la source de mon retard, je mentis et prétextai un nouveau projet. Elle n'aurait pas compris ce qui se passait. Il faut l'avouer, je n'avais même pas essayé d'analyser moi-même cette relation autrement que du point de vue de la victime d'une maladie pernicieuse et affreusement lancinante, l'ennui mortel. J'étais juste heureuse d'avoir un soin palliatif à portée de main pour me sortir de ma misère.

Avec le temps, Émilie me demanda d'un air suppliant si je pouvais contaminer mon lecteur CD avec ses copies pirates de « musique » gothique. Je décidai de les écouter d'une oreille disponible, à défaut d'une oreille ravie. Je mettais de temps en temps mon jazz des années cinquante et soixante, en me préparant à une explosion de dédain et de railleries à la première audition, mais il se trouvait qu'elle était déjà exposée au style par le paternel.

Nous avions notre routine, comme des piliers de bar qui se rencontrent à la même heure au même endroit et qui s'assoient sur le même tabouret pour commander le même drink au même barman. J'étais désormais enchantée d'aller travailler simplement pour pouvoir en revenir.

Cela faisait deux mois que je la cueillais religieusement chaque jour devant le terminus. On était près du solstice d'été. Les jours s'allongeaient de plus en plus et on avait maintenant l'habitude de prendre une bière ensemble avant son travail à la terrasse d'un café situé à deux coins de rue du restaurant. J'aurais bien aimé l'inviter la fin de semaine pour un après-midi au bord de ma piscine, à boire de la sangria et à regarder mon fils faire des bombes, mais je savais d'instinct que mon épouse n'approuverait pas. En y repensant, je n'avais jamais senti le besoin d'introduire une étrangère dans notre couple depuis vingt ans. Elle irait imaginer soit une amante, soit un enfant de remplacement qui usurperait le trône de notre héritier, mais jamais une amie dans son expression la plus simple. Je n'avais pas non plus fait d'introspection pour tenter de situer Émilie entre ces trois possibilités. Pourtant, cela me démangeait, j'avais juste envie de passer plus de temps avec la petite.

Je n'étais même pas certaine si c'était cette fille au mal de vivre évident qui me fascinait ou plutôt la fenêtre qu'elle ouvrait sur un monde parallèle et à travers laquelle je voyais des miniclips d'une vie tellement à l'opposé de la mienne que je peinais pour remonter le tout afin d'en faire un long métrage censé.

Elle me déridait constamment. Moi qui étais de nature « verre à moitié vide », je me surprenais à rire aux éclats en entendant les sottises cruelles de sa fratrie, qu'elle me décrivait parfois en roulant des yeux comme une préadolescente. Par exemple, la fois où elle avait caché du lard salé sous l'oreiller de son « petit » frère qui commençait le collège parce que, après une phase de culte satanique, il avait soudainement embrassé Dieu par l'entremise du Coran.

À la mi-juin, alors que notre routine était fermement établie, elle me surprit complètement lorsqu'elle m'invita à une fête de famille. Celle-ci se déroulerait en plein centre-ville, près du Vieux-Port, le vendredi soir de la fin de semaine de la fête nationale.

Je voulais refuser. J'aurai dû refuser, car, normalement, ces longues fins de semaine étaient des jours à passer en famille. C'était sacré pour Catherine. Mais ma curiosité à propos d'Émilie, de cette vie hors norme que je devinais, était telle une piqûre de moustique qui se mit à enfler. À mesure qu'on avançait vers la date prévue, cela se mua plutôt en dard d'abeille brisé enfoncé dans le derme. Il fallait opérer d'urgence, sinon ça allait forcément faire plus mal et demander davantage de soins.

J'optai pour une méthode simple afin de fausser compagnie à ma moitié pour la sacro-sainte soirée du début de la fin de semaine sans devoir fournir d'explications. Par contre, c'était aussi le moyen le plus bête. Une approche hasardeuse, fatale à long terme : le classique « j'ai un gros souper d'affaires avec mon patron et des collègues » qui est l'équivalent adulte de « ma grand-mère est morte » ou de « mon chien a mangé mon devoir ». Catherine avala ce cobra royal sans broncher, mais je devinai à un clignement de paupières de moins que mes jours de menteries étaient comptés très exactement.

3. Bicycle

Je savais que Catherine se faisait une joie d'organiser cette longue fin de semaine. Je connaissais son plan à la lettre, j'y avais déjà consenti. Ça serait le même programme que d'habitude, mais en plus festif. Premièrement, on ferait notre ménage, prévu pour le dernier samedi du mois. Ça, c'était toujours facile, car on s'y mettait à deux et on vivait dans une maison neuve, tout en design, que nous avions choisie et qui possédait des pièces spacieuses aérées aux lignes droites et épurées, avec de grands espaces que rien de superflu n'encombrait et des matières naturelles simples à entretenir. En plus, on ne laissait jamais rien traîner et tout était blanc. Traquer la crasse dans un tel environnement se faisait presque comme par magie. Je nettoyais surtout l'intérieur et Catherine s'occupait de l'extérieur, car elle savait que j'avais une sainte horreur de la tondeuse à gazon et du maniement des gallons de chlore.

Pour la bouffe, je n'avais pas à lever le petit doigt. Catherine faisait l'épicerie avec grand soin, toujours le vendredi soir, après son shift. Ainsi, notre garde-manger débordait de bonnes choses biologiques. Pas de cochonneries industrielles trop sucrées et salées. En plus, elle adorait cuisiner et préparait des festins sans même se tracasser. Avec elle, chaque souper était digne d'un trois-étoiles. Moi, quand je m'y mettais, c'était immanquablement raté. Quand ce n'était pas brûlé, c'était déséquilibré. Dans tous les cas, on finissait par crever de faim. Alors, toute la famille préférait que je me tienne loin des chaudrons et même de l'épicerie. J'étais donc toujours traitée comme une reine pour les repas et j'avais juste à m'asseoir et à bien mastiquer.

Par contre, il était prévu que je paierais extrêmement cher le festin, cette fin de semaine-là. Normalement, Catherine et Pierre-Emmanuel, notre fils, faisaient au moins une activité par jour et j'arrivais une fois sur deux à prétexter la fatigue pour rester à la maison. J'en profitais souvent pour regarder un film que Catherine ne voulait pas voir. Au souper, ils me décrivaient leur exercice et je leur racontais brièvement le film. Pour cette fin de semaine de la fête nationale, toutefois, il n'était pas question que je me vautre dans ma paresse habituelle et que je ne les suive pas. On se devait de fêter en famille.

Si au moins on avait été en hiver, saison que je préférais côté sports… Malheureusement, il faisait beau, et la passion de ma femme et de mon fils durant l'été, eh bien, c'était mon pire cauchemar : le vélo. Pour fêter notre grande nation, Catherine et Pierre-Emmanuel avaient décidé que ça serait trois fois le bicycle. Évidemment, j'avais dit oui.

De l'extérieur, je souriais pour mon fils qui était si heureux que j'acquiesce, mais, à l'intérieur de moi, je poussais un cri d'effroi.

Je haïssais le vélo. Catherine avait beau m'avoir fait cadeau d'un bicycle dernier cri, poids plume, avec les vitesses qui se changent presque par télépathie, j'avais une aversion difficile à contrôler pour ce cher deux-roues. Un instrument de torture m'aurait fait le même effet que de poser mon cul sur ce machin-là. Avec tristesse, ma femme avait renoncé à me convertir, mais elle me demandait d'en faire de temps à autre pour garder ma forme légèrement au-dessus de son niveau abyssal naturel. Comme elle et mon fils adoraient ce sport, je faisais un effort, surtout pour voir leur euphorie commune et espérer en récolter des miettes. De toute façon, aucune activité ne semblait être adaptée à mon empotée de carcasse. Que je les accompagne en skis, en joggant ou en vélo, j'étais toujours cent mètres derrière, la langue à terre. Le pire, c'est que suivre Pierre-Emmanuel, qui n'avait que neuf ans, n'exigeait pas encore des talents d'Ironwoman, on s'entend. Toutefois, pendant nos courtes excursions, j'avais déjà trop souvent les jambes qui tremblaient et les poumons qui brûlaient. C'était donc une question de temps avant que le supplice vire à l'agonie et que je ne puisse plus les accompagner dans quelque activité que ce soit.

Je n'avais jamais remarqué à quel point quelque chose clochait chez moi, jusqu'au jour où j'avais été enceinte. J'avais la bedaine pleine d'un fils fabriqué en éprouvette, soit, mais quand même avec la moitié de mes chromosomes. L'instinct maternel aurait dû prendre le contrôle sur mes fonctions vitales. Bêtement, je m'étais imaginé que je serais comme toutes les autres mères. J'avais cru qu'une potion magique d'hormones me transformerait sûrement après l'accouchement en une super femme qui n'aurait plus besoin de sommeil et qui serait toujours au pied levé pour faire abnégation de son corps et confier ses tétons à la continuation de la race.

Eh bien ! c'était loin de s'être passé comme ça !

Je n'avais pas fait une dépression post-partum, ça aurait été trop simple. J'avais juste été moi-même, celle au tempérament mou, celle qui est cent mètres derrière.

D'ailleurs, je pense que c'est la seule fois où mon épouse m'en a vraiment voulu. Elle rêvait depuis des mois de me voir donner le sein à notre fils, de nous prendre en photo comme la Vierge et l'Enfant. Au lieu de ça, je m'étais affalée sur le sofa comme une poupée dégonflée, incapable de tenir un bébé correctement pour l'inciter à téter le moindre liquide maternel. Puis j'avais eu une armée d'infirmières et d'assistantes sociales sur le dos. En théorie, elles étaient là pour m'éveiller au b.a.-ba de la maternité. En pratique, elles tentaient surtout de rétablir urgemment ma qualité de nourricière, car notre fils, misérable, réclamait ce à quoi tous les nouveau-nés de la terre ont droit. Mais rien n'y avait fait. Plus on me répétait que ça irait, que toutes les bêtes de la création, même les plus tarées, allaitaient, plus je me sentais coupable, nulle, inadéquate.

Finalement, dans un mouvement de colère, Catherine avait foutu tout ce beau monde dehors. Je lui en avais été immensément reconnaissante, mais elle m'en avait voulu à mort d'avoir raté cette occasion unique d'établir ce qu'elle décrivait comme un lien magique et intime entre une mère et son enfant. À la place, elle avait dû faire des biberons avec une poudre blanche puante dégueulasse pendant des mois, potion infâme. C'est elle qui avait donné les bouteilles en premier. Même ça, j'avais l'impression que je le faisais mal, parce qu'avec moi Pierre-Emmanuel en siphonnait moins.

Curieusement, c'est le moment où j'ai le plus admiré ma femme, alors qu'elle, elle était au bord de me tordre le cou. Encore aujourd'hui, elle me reproche de l'avoir privée de cet instant inégalable. Des fois, elle s'inquiète que Pierre-Emmanuel risque d'avoir plus d'allergies ou qu'il soit moins sportif parce qu'il a gagné ses premiers centimètres avec un mélange industriel.

Si c'était arrivé à Catherine, j'aurais compris, mais ce bébé avait mijoté dans ma bedaine à moi, avec la moitié de mon code génétique (ce qui, Dieu merci, n'était pas apparent), et la nature m'avait concocté toutes les hormones nécessaires pour lancer mes instincts maternels en hyperdrive. Même moi, habituée à l'incapacité permanente de ce corps dont je suis affligée depuis ma naissance, je n'ai jamais pigé comment j'avais pu passer à ce point à côté de cet élan inné de nourrir. Merde ! Les femmes, on les a intégrés sur le thorax, les pistons, on est pratiquement des distributrices à lait ambulantes.

Manifestement, dans mon cas, la nature avait foiré sur toute la ligne.

4. Party

Donc, pour le party, puisque mon épouse soupçonnait qu'il y avait anguille sous roche depuis un moment, mon excuse avait un désavantage non négligeable. Je ne pouvais plus me changer après le travail et mettre quelque chose de décontracté : impossible d'emporter un rechange sans réduire encore plus mes indulgences restantes avec ma femme. Pour la famille d'Émilie, le plan était qu'elle me présente comme une amie, même si nous étions aussi bien assorties qu'un pingouin et un chameau, mais il fallait faire avec.

Elle m'avait donné l'adresse de son oncle, qui habitait un loft dans une ancienne fabrique de conserves. Ce n'était pas si loin de mon bureau, mais pas au point de marcher, alors, je décidai d'utiliser ma voiture. Je n'avais pas pris le métro depuis le millénaire précédent de toute façon. Je me garai avec peine à quelques avenues de mon point de chute final. Une pancarte promettait le rapt de ma bagnole avec une remise de l'otage contre rançon salée si elle était encore stationnée là passé midi le lendemain. Cela ne m'inquiéta pas outre mesure. Si je n'étais pas partie bien avant, j'aurais des problèmes autrement plus graves qu'une voiture à la fourrière.

Je marchai les quelques rues restantes. Il faisait chaud, trop chaud même. On sentait cette chaleur humide de soirée caniculaire qui révèle les effluves du fleuve proche, ceux, sucrés, du houblon de la brasserie avoisinante et la pollution automobile accumulée dans la journée, qui donne toujours une odeur unique l'été dans la métropole le soir, une senteur d'enfance.

Il y avait beaucoup de touristes parcourant les pavés, ravis de ne rien faire. Des amis, des couples, des familles qui déambulaient en étudiant les tableaux des peintres amateurs accrochés dans les ruelles, en décortiquant les menus affichés devant les restos huppés ou en léchant une crème glacée achetée au passage. J'eus un pincement au cœur en pensant que je ne me promenais jamais en ces rues en famille, la mine réjouie. Pierre-Emmanuel n'y était même jamais venu : la ville, pour ma femme, c'était trop loin de la maison, c'était trop compliqué pour se garer, c'était rempli d'achalants, de robineux. Pour elle, la ville, c'était seulement le travail, point. Au fil des ans, j'en étais venue à le croire aussi.

Le loft semblait au premier abord curieusement délabré. Je ne m'y attendais pas. Normalement, il n'y avait que du design chic dans ce secteur. Du trottoir, je voyais au deuxième étage un groupe dense et bruyant qui produisait des volutes bleutées comme une décharge de pneus en train de brûler. Il était évident à l'odeur envahissant la rue qu'on n'y humait pas que du *nicotiana tabacum*. Je sonnai, sans résultat. Je me doutai qu'avec le vacarme qui régnait, on n'entendait pas la sonnette d'entrée. Je montai l'escalier sombre et suspect et j'entrai par la porte déjà entrouverte.

Une foule incroyable m'attendait. Je dus me pincer pour ne pas imaginer que j'avais franchi le mur du temps au lieu d'un mur en brique.

On se serait cru dans les années soixante-dix. Tous fumaient comme des défoncés. Ils avaient l'air plus ou moins malades ou au bord de l'être, des têtes de l'âge où rester jeune n'était pas encore une religion. Les mâles au-delà de la quarantaine étaient pourvus de bedaines avancées et les femmes, victimes d'overdoses de peroxyde et d'ombre à paupières bleue. J'aperçus quelques moumoutes. La plupart portaient des vêtements dont Les Petits Frères des Pauvres n'auraient pas voulu. Il y avait même, j'avalai de travers, quelques vestons à carreaux avec des patches aux coudes. Si on avait analysé le PIB de cette salle, je suis sûre qu'on se serait retrouvés nez à nez avec le Soudan ou le Bangladesh. Ce n'était pas le gratin et, le plus grave, je soupçonnais que c'était un choix conscient, un mode de vie assumé.

Je me sentais toute nue dans mon tailleur cerise ajusté à ma taille d'amphore, trop flashé hautes études commerciales parmi ces pures souches ouvrières. Telle une soldate vêtue d'une tunique écarlate britannique du temps de la Conquête, qui aurait été téléportée au milieu d'un bataillon moderne en tenue de camouflage, j'étais le seul point rouge. Tout le monde me regardait. Je songeai à me replier avant même d'avancer vers le camp ennemi. Finalement, j'eus plus peur des conséquences de la retraite que de l'assaut et je fonçai dans le tas.

Je demandai à une perruque blonde genre Marilyn montée sur une face de cadavre figé dans le formol où se cachait Émilie et elle m'indiqua le fond. Je traversai la pièce en me faufilant entre les fesses et les bedons protubérants. Je ne donnais pas ma place non plus à ce chapitre, il faut quand même être honnête. Je trouvai Émilie assise sur le plancher, les jambes croisées, en train de se chamailler au-dessus d'un seau de chips géant avec, je le devinais à l'accoutrement ostentatoire (jaquette blanche, calotte crochetée, barbe hirsute), celui qui devait être le frérot nouvellement converti. Entre les deux, une petite mulâtresse d'environ quatre ans avait un plaisir fou. Elle avait visiblement hérité du pire bagage génétique des races respectives de ses deux parents, car elle était étonnamment inesthétique pour un si jeune âge. Son enthousiasme n'en était pas affecté pour autant et elle tentait joyeusement de mettre la patte sur le monticule de croustilles en criant: « Moi aussi, je veux des chips ! Moi aussi, je veux des chips ! »

J'avais beaucoup de peine à imaginer Émilie en tant que future adulte en la voyant par terre à se chamailler pour des croustilles. À ce point précis, m'annoncer comme son amie à son entourage risquait d'amener les gens à se poser des questions sur ce que je pouvais bien faire là, sur l'étrange lien qui m'unissait à Émilie, et à imaginer le pire, qui sait ?

Elle m'aperçut et vint immédiatement à ma rencontre. Heureusement, car j'avais passé l'âge de m'asseoir sur le plancher. Ce qui laissa tout le butin aux deux autres.

— Geneviève ! Je suis contente que tu sois venue !

Elle me présenta à son frère, qui se redressa à son tour, comme un tas d'allumettes empilées se mettant en branle pour s'aligner bout à bout. Il avait l'aspect des ados qui ont pris un pied de longueur d'un coup, tout en bras et en jambes mal assurés. Mes yeux se retrouvèrent presque à la hauteur de son sternum et je dus plier le cou pour le regarder. Il me fit un salut qu'il imaginait probablement approprié pour un musulman, en ignorant ma main tendue, avec un petit hochement de tête, la paume droite sur le cœur. Je retins un sourire en coin de justesse. Le pauvre ! Sa barbe faisait pitié. Il faut croire que les effets de la testostérone n'avaient pas encore agi sur sa pilosité. De plus, il avait d'énormes lèvres charnues roses, une vraie gueule de suceur. On ne voyait que ça au milieu de son visage et ça ne faisait pas très sérieux pour un dévot.

Je fus cependant estomaquée quand elle me présenta la bambine au gros nez et au teint de Coke flat comme étant sa petite sœur. Je ne pouvais pas imaginer ces trois-là avoir quelques gènes en commun. Si on étudiait la complexion maladive quasi fluorescente d'Émilie, il était évident que ses géniteurs devaient être tous deux d'une pâleur aryenne vampirique, alors que pour produire cette puce à la mine grisâtre, il avait fallu un positif et un négatif. Je réfléchis : avait-elle dit que la petite était sa demi-sœur, sa sœur adoptive ? Je me rendis compte qu'elle ne m'avait pas fourni grand détail sur la recomposition familiale.

Il n'y avait rien d'autre à faire que de boire et manger dans ce party, à moins de se mettre aussi à fumer. Toutefois, vu l'épaisseur de l'air ambiant, même un fumeur invétéré aurait pu économiser juste en respirant normalement. Émilie m'apprit que cette fête était en fait une pendaison de crémaillère; son mononcle venait d'acquérir, par un processus qui semblait très flou, cet appartement. Cela expliquait la quasi-absence de meubles: presque tout le monde était debout.

Elle voulait me présenter ses deux frères cadets, qui étaient introuvables.

— Sûrement avec papa.

Dans l'heure qui suivit, j'ingérai une quantité bien supérieure à ma limite de bière, de liqueur, de chips, de crottes de fromage, de saucisses cocktail, de jujubes rouges et de macarons au chocolat cireux. J'eus bien une conversation poussée avec un chauffeur d'autobus scolaire sur les probabilités de gagner au 6/49 comparativement à celles de gagner au Super 7 en divisant le tout par le prix du billet, mais ce fut tout.

Une jolie rouquine se démolissait méthodiquement le portrait à coups de rhum and Coke. À la vue de sa mine qui se décomposait, elle devait avoir commencé dès l'ouverture du bar de fortune et elle était bien au-delà de la discussion cordiale. Une vieille dame frêle aux cheveux bleus était assise sur le seul sofa de la pièce. Elle avait l'air aussi à sa place dans ce zoo que moi. J'eus le sentiment que nous étions comme deux naufragées sur une île au milieu d'animaux étranges. Je lui souris de loin, elle m'ignora. Pire, elle leva le nez sur moi, comme si j'avais osé faire un tata à Élisabeth II.

Elle pouvait bien péter plus haut que le trou tant qu'elle voulait, ce troupeau aurait mieux convenu à une salle de bingo qu'à un loft, et, moi, je ne voyais plus de salut possible à cette soirée désespérante.

Après un moment, tant de liquide et de sel se révélèrent un défi pour mes reins et ma vessie sous-entraînés. Émilie avait entamé une discussion avec la vieille du sofa. Je demandai à l'émule des statistiques de loterie où se trouvaient les toilettes et il indiqua une direction vague vers le mur à gauche, peint en noir, troué de deux portes closes.

Il fallait s'y attendre, avec mon étourderie légendaire, j'ouvris la mauvaise, ce qui est toujours une déplorable idée lors d'un rassemblement de cet acabit. Car, en général, les fêtards se cachent dans ces lieux pour faire ce que, si l'on a un peu de décorum, on ne tient justement pas à voir ou à savoir.

Ce fut une déplaisante expérience : je ne vis qu'un dessus de chevelure emmêlée, noire et sale penchée vers trois lignes de poudre blanche sur la table en mélamine orange. Je me figeai comme un chevreuil la nuit, surpris par des spots d'automobile.

— Pardon !

Il releva la tête et je refermai prestement sans oser le regarder. Je détestais être prise dans ce genre de situation, celle où le vernis de la femme adulte que j'étais volait en éclats pour mettre à nu l'enfant impressionnable encore cachée dans un recoin de ma personnalité. Un coup de poing au visage. J'avais soudainement cinq ans, le même arrière-goût désagréable au fond de la gorge que la fois où j'avais eu une mésaventure semblable avec une porte de salle de lavage. J'avais surpris mon père et ma mère en lévrier et levrette, en train de donner un vigoureux cycle supplémentaire à la machine à laver. Mais j'avais au moins eu l'excuse de ne pas avoir encore de poils sur le pubis à l'époque.

Le deuxième choix de porte fut juste.

J'eus besoin d'un moment, assise sur la toilette, ironiquement à l'air pur enfin, pour remettre ma date de naissance sur la bonne année du calendrier et reprendre la contenance d'une femme près de la quarantaine. Quelle idiote!

Je retournai vers Émilie qui avait retrouvé ses frères, âgés de onze ans, ceux-là. Je constatai avec un malaise étrange que c'était deux garçonnets identiques en tous points. De plus, ils étaient habillés en copié-collé parfait. Quelle idée saugrenue de les accoutrer comme ça! J'étais certaine que ça devait être interdit par plusieurs psys et bouquins de faire une chose pareille.

Les deux snoreaux étaient allés batifoler sur le toit aménagé en terrasse et s'étaient par mégarde enfermés dehors. Un mononcle et une matante qui allaient prendre du frais les avaient délivrés. Naturellement, ils n'auraient pas eu le chromosome Y s'ils n'avaient pas été ravis de cette péripétie.

Les deux blondinets à lunettes épaisses comme des fonds de bouteille racontèrent, avec luxe de détails et d'embellies impromptues, les plans d'évasion variés qu'ils avaient ébauchés au cas où on les aurait oubliés toute la nuit: se faire une corde avec des vêtements, par exemple. Je n'osais pas imaginer comment ils pensaient procéder avec leur jeans minuscule pour sauter jusqu'au toit de l'immeuble voisin. Je n'en revenais pas : ces deux cocos étaient de deux ans plus vieux que mon fils. Ils auraient pourtant eu l'air de pygmées à côté de lui.

Mine de rien, il était maintenant près de onze heures, et je songeai à partir. Je me doutais que Catherine devait m'attendre assise au beau milieu de notre salon, prétextant ne pas avoir sommeil. Par obligation morale, je ne pouvais pas laisser cinq ados et enfants sans rencontrer le père et m'assurer qu'ils dormiraient sains et saufs dans leur lit. Je savais qu'Émilie n'avait pas de permis de conduire. De toute façon, elle avait trop forcé sur le houblon. Je ne faisais pas confiance au nouvel intégriste non plus. Il avait les yeux dans la graisse de bines et je soupçonnais qu'un écart appréciable de la philosophie de Mahomet avait eu lieu.

Mon cellulaire affichait déjà trois appels manqués provenant tous du même numéro.

Certaines personnes avaient commencé à lever les pattes, les plus vieux et les éméchés en premier, puis les sobres et les jeunes. Au final ne persistaient que quelques irréductibles mâles moustachus en train de parler de leur prochain voyage de chasse, dont l'heureux proprio de la place. Restaient aussi : les ivrognes finis ; la dame au sofa, endormie, qui ronflait la bouche ouverte ; et les enfants qui pigeaient dans le seau de chips sans fond et qui jouaient au paquet voleur dans un coin. La petite s'était assoupie sur la veste d'Émilie à même le plancher. Et il y avait moi.

— Émilie, où est ton père ?

— Il est en haut avec Joanna. Ils se battent depuis au moins une heure.

Cela ne paraissait pas vraiment l'inquiéter. Elle avait presque l'air ravie. J'espérais que le verbe « se battre » était de la grandiloquence adolescente, mais cela tua toute velléité de ma part d'aller vérifier. Je me résolus à poireauter en bas.

Ils descendirent quinze minutes plus tard. J'entendais la femme meugler dans les marches avec des vocalises d'une vulgarité hors pair. Le tout délivré si magistralement que ce talent particulier devait avoir été cultivé sur plusieurs générations.

Cela avait attiré notre attention et, dès lors, tout le monde attendait qu'elle fasse sa grande entrée. Cela lui prit une éternité pour parcourir le dénivelé de trois mètres. On ne pouvait voir le couple à cause de la cage d'escalier, mais je pense qu'ils faisaient une pause à chaque marche pour s'engueuler à loisir. On n'entendait pratiquement qu'elle. Nous étions tous peu enclins à nous approcher du spectacle. Alors, on attendait, bouche ouverte au milieu du loft, qu'ils finissent leur périple.

Elle dissertait sans relâche : elle en avait ras le pompon, il ne faisait jamais le ménage et laissait tout traîner, il ne gagnait pas assez d'argent, il n'était pas assez sévère avec les enfants... À la lenteur où ils descendirent, on eut la panoplie parfaite du gorille masculin dans toute sa splendeur. Elle finit au dernier pas :

— Et tu bois comme un trou !

Elle fit son entrée en s'enfargeant sur une ligne de parquet imaginaire pour s'affaler de tout son long comme une poupée désarticulée. Pas de surprise : c'était la rouquine rhum and Coke, très mal placée pour critiquer la beuverie du camp adverse, à mon avis. Vu ma chance, je ne fus pas vraiment étonnée de constater à sa suite le noiraud aux cheveux sales. Il eut au moins la décence de se rendre jusqu'en bas debout, saoul lui aussi, mais manifestement pas au point où ses jambes étaient hors service.

C'était ça, le papa ? Eh bien, bravo ! Je bénis l'heureux hasard de le rencontrer juste trente secondes avant de le quitter.

Je réfléchis. Hélas, non, mon plan de partir ne tenait plus. Il n'était pas envisageable que je laisse cher daddy prendre la route avec Émilie, ses frères et sa sœur. Je commençai à perdre patience. Quelle famille !

Il sortit ses clés de sa poche.

— Les enfants, préparez-vous, on s'en va !

— Vous avez trop consommé !

Trop consommé ? Niaiseuse ! C'était brillant de faire une démonstration de mon langage propret au beau milieu de cette gang-là ! C'était sorti tout seul. Dire devant ses ti-culs que je l'avais surpris le nez dans le pot de sucre ne me semblait pas une option viable.

Il me détailla sans aucune animosité, dans ma tenue de bureau rouge cerise complètement hors contexte, un peu comme un passant qui croise quelqu'un avec un chien d'une race exceptionnellement bizarre.

— Est-ce que la banquière se propose de conduire ?

J'émis un grognement affirmatif un peu enfantin, sans vraiment réfléchir. Oh ! mes bières avaient été métabolisées, je n'avais plus rien avalé ensuite. Mon problème n'était pas là : il se situait à cent kilomètres plus au nord. C'était un méga-saint-cibole de gros problème ! Je fis du surplace pendant quelques secondes, comme chaque fois que je suis énervée et que je cherche à me reprendre. Inutile de me donner en spectacle davantage. De toute façon, je n'avais pas vraiment le choix : je ne voulais pas que ces enfants, tous plus ou moins handicapés par la vie, se retrouvent écrapoutillés contre un mur de béton parce que j'avais eu peur de répondre de mon indépendance. Le lendemain, j'expliquerais tout à ma femme, et depuis le début ; elle verrait au moins que mon intention n'était pas de sauter la clôture.

L'homme sourit et me donna cérémonieusement le trousseau cliquetant en tendant le bras bien raide à l'horizontale.

— Banquière, à vous les clés du coffre !

Je regardai seulement les pièces de métal dans sa main, rien d'autre, et je m'en emparai rapidement. Ce type louche essayait sciemment de me déstabiliser, avec un succès malheureusement substantiel. Je ne voulais même pas le zieuter, je n'aurais pas pu dire de quelle couleur étaient ses yeux.

Je me rappelai subitement pourquoi je n'avais jamais été tentée par l'autre bord, au collège. Les mâles me terrifiaient. En outre, ils avaient le pouvoir de me donner des démangeaisons quand ils se mettaient en tête de faire les clowns.

Je montai moi aussi sur le toit (il semblait que c'était la zone d'intimité officielle de l'endroit), pour utiliser mon cellulaire sans auditeurs et expliquer à ma tendre moitié que je devais reconduire un collègue qui avait trop bu. Je devinai qu'elle était furieuse au-delà des mots, mais elle ravala sa colère. Elle me fit juste promettre sarcastiquement d'être très, très prudente. Je me sentis soudainement affreusement coupable. Jamais auparavant je ne lui avais donné de vraies raisons d'être jalouse. Peut-être qu'inconsciemment je voulais lui rendre la monnaie de sa pièce pour toutes les occasions où j'avais été si innocente que cela avoisinait la bêtise et où j'avais quand même eu droit à un grincement de dents au retour comme si j'étais condamnable ?

Le cortège familial se mit en branle, les adieux à l'oncle réduits au minimum. On avait visiblement hâte d'entreposer la rouquine belle-mère au frais. L'islamiste en devenir ramassa la petite endormie pour la caler contre sa poitrine. Émilie alla chercher une chaise roulante pliée. Son père réveilla la vieille en la secouant tout doucement et en l'appelant. C'était sa mère. Quelle lubie de l'emmener dans un rassemblement pareil ! Elle se ranima à moitié, des yeux bleus froids assortis à ses cheveux s'entrouvrirent pour trouver le visage de fiston, qui la prit dans ses bras. Évidemment, avec les marches, c'était le seul moyen de locomotion possible. J'étais étonnée de constater qu'il était assez solide sur ses pattes pour ne pas la laisser échapper en route. La rouquine était la plus mal en point. Comme toute la famille semblait l'avoir ostracisée pour de bon, je me retrouvai avec la tâche ingrate de devoir l'aider à descendre jusqu'au niveau de la rue.

Heureusement, le véhicule familial n'était pas très loin. C'était une camionnette géante qui n'en était pas à son premier tour de roues. Le père d'Émilie sangla les plus inaptes, sa mère mi-endormie à l'avant, la plus petite avec son siège d'appoint juste derrière elle, à côté sa blonde, qui avait un regain d'énergie typique des alcooliques endurcis. Cette dernière continuait à proférer menaces et insultes à un rythme espacé, mais soutenu. Complètement à l'arrière, les jeunes se chamaillaient pour s'entasser à quatre sur une banquette de trois places. On nageait en pleine illégalité à cause du chauffeur additionnel.

Cela me fit un choc. Quelle famille étrange ! Les adultes mis à part, c'était la collection la plus complète de laiderons que j'avais jamais vue. Comment des parents pas trop mal pouvaient-ils rater le mix ovule-spermatozoïde à ce point, autant de fois de suite, sans se poser de questions ? Évidemment, j'avais fini par comprendre que la petite Anne était un cas à part, mais les autres n'avaient pas non plus été gâtés par la nature.

Le père m'indiqua l'adresse de leur maison, mais cela ne m'aida pas beaucoup ; ça faisait des lustres que je n'avais pas mis les pieds dans cette partie de la ville. On me guida comme une touriste perdue. C'était toujours Catherine qui conduisait notre tout-terrain. Alors, j'étais très nerveuse d'être au volant de quelque chose d'aussi énorme avec autant de passagers. À preuve, je faillis manquer un feu rouge et je dus freiner sans élégance, abruptement.

— T'aurais dû laisser papa conduire !

Cela provenait d'un des jumeaux, Sébastien, celui avec des lunettes plus rondes. À mon grand regret, je pouvais difficilement lui donner tort.

— Chut ! Taisez-vous ! Ne déconcentrez pas la madame.

Les mots étaient sévères et venaient du père. Je ne le voyais pas parce qu'il était assis derrière moi, mais je sentais son haleine dégoûtante dans mon cou. Il y avait une inflexion de moquerie certaine dans son ton.

Dieu merci, Joanna se tint coite le reste du chemin. Entendre ses récriminations de femelle hargneuse en plus de son chum alcoolisé qui me guidait comme si j'étais une bécassine du volant aurait été trop pour ma patience à cette heure avancée.

On arriva sur une avenue étroite avec de vieux arbres et une série de maisons à escaliers extérieurs à l'ancienne. Notre apparition surprit un raton laveur occupé à faire du recyclage dans les poubelles du voisin. Il faisait encore très chaud, de nombreux criquets profitaient en cric-cric de cette nuit de juin. La ville l'été... J'avais oublié qu'en plus des pseudo-intellos aux terrasses, des environnementaleux et des B.S., il y avait aussi les chats sauvages, les siffleux et les moufettes.

Il était presque une heure du matin et j'étais complètement vidée. L'heure avancée avait toujours eu une forte influence sur mon mental. La fatigue semblait m'hébéter davantage que d'autres, plus endurants, de meilleure constitution, équipés pour veiller tard. Si j'appelais un taxi et que j'allais chercher ma voiture sans perdre de temps, je ne serais quand même pas chez moi avant trois heures du matin.

Tout le monde s'extirpa de la camionnette avec beaucoup de difficulté, les quatre du fond dans un festival de claques et de cris, Joanna exécrablement, en vomissant partiellement sur la portière. Alexandre monta Anne dans ses bras au deuxième étage avec les jumeaux, Marc (lunettes carrées) et Sébastien (lunettes rondes) à la traîne. Joanna s'affala sur le trottoir tel un phoque agonisant sur une banquise fondante de juillet, pendant qu'on transportait la grand-mère jusqu'à la chambre du rez-de-chaussée. La vieille dame n'était pas très heureuse de se retrouver à la même enseigne que la fillette de quatre ans, c'était évident.

— C'est correct, Robert, je peux marcher, quand même !

— Arrête ! Ça va plus vite comme ça.

Émilie suivit son père au parterre et je lui emboîtai le pas. Tout le monde vaquait à ses petites affaires, oubliant momentanément le mammifère échoué dehors. Émilie proposa de prendre le relais pour aider la grand-mère à se mettre au lit ; s'ensuivit une discussion haute en couleur à savoir s'il y avait de la literie propre pour changer une couette, et dans quelle garde-robe de quelle chambre de quel étage cette perle rare pouvait bien se cacher. Je commençais à comprendre que les appartements, au premier et au deuxième, faisaient partie du même foyer à désorganisation maximale, avec les adultes et les jeunes en haut, la grand-maman et les deux adolescents en bas. Je réalisai trop tard que ce que l'on essayait vraiment d'organiser, c'était où me coucher et dans quels draps. Il n'était pas question que je dorme dans cette maison de fous ! J'avais un programme à tenir :

— Mais je dois rentrer ce soir, j'ai mon fils qui m'attend pour une randonnée en bicycle demain !

Émilie me considéra, inquiète :

— Mais franchement, Geneviève, c'est bien trop loin ! Tu risques d'avoir un accident. T'as vu comme t'as failli passer tout droit à la rouge ?

Elle avait les mains sur les hanches comme une bonne femme en colère et cherchait l'appui de Robert.

— Hein, papa ? Dis-lui que c'est bien trop dangereux !

Il se tourna vers moi comme au ralenti. Tous deux me regardaient comme une enfant à qui il faut expliquer qu'il est risqué de mettre ses doigts dans une prise de courant. Émilie triturait son piercing, et son père se grattait la barbe, passablement mieux réussie que celle de son fils. Je devinais qu'ils n'avaient pas l'intention de me laisser passer sans me prendre à bras le corps. Je sentais qu'ils avaient raison, dans le fond. Vu mon état de fatigue, les probabilités de finir ce soir le nez contre un lampadaire étaient plus élevées que celles de me retrouver devant mon garage, mais ça ne m'aidait pas du tout de le savoir.

5. Dodo

La logique l'emporta. Je décidai d'accepter leur hospitalité charitable, mais peu hygiénique, car il se révéla illusoire d'effectuer le moindre changement de lit à cette heure de la nuit. Je dormirais dans celui d'Émilie, qui finirait sur les coussins du sofa dans le salon. Mon sort fixé, le père d'Émilie grimpa au deuxième, non sans avoir jeté un seau d'eau sur la portière encore maculée des restes prédigérés du party. À travers la fenêtre de la chambre, qui donnait sur la rue, je le vis monter la rouquine, qui s'était évanouie sur le trottoir entre-temps. Il l'avait hissée sur son dos comme une poche de blé d'Inde. Il me fit un petit salut de la main avec un sourire en coin et cela suscita chez moi une sensation extrêmement désagréable au niveau des sphincters. C'était exactement comme la fois où, à dix ans, j'avais croisé un monsieur bonbons tout nu en revenant de l'école. Je ne comprenais pas le lien qu'avait Émilie avec son père, mais ce curieux mélange, ni infantile, ni mature, ni cru, ni cuit, ne me disait rien qui vaille.

Elle me prêta un t-shirt noir décoré d'une tête de mort gisant dans une mare rouge et un pantalon de jogging pour faire office de pyjama. Restait le plus dur, appeler ma femme. Je m'assis au bord du lit. Il s'en dégageait des relents de lait sur. J'entrepris rageusement de m'autodétruire les ongles un à un avec les dents. Quand je n'eus plus rien à manger et que je dus me sucer le sang, je m'emparai de mon cellulaire.

Ce fut horrible. Je n'avais jamais été si près de pleurer depuis des années. La quarantaine presque sonnée, j'aurais dû être capable de découcher chez un collègue sans avoir l'impression de devoir affronter les juges de l'Inquisition, mais non : les insultes, les hurlements, les menaces, tout y passa. Finalement, Catherine offrit de venir me chercher à la seconde même, dans la nuit, et ce fut la goutte qui fit déborder le baril. Ce faux désir de veiller à mon bien-être, enrobé d'une sollicitude contrefaite, était en réalité une tentative de rétablir sa zone de contrôle habituelle autour de ma personne. Cela me poussa à sortir de ma passivité caractéristique. J'étais majeure au sens de la loi, que je sache ! On n'était pas sous le régime de la charia ! Elle ne pouvait pas me faire arrêter pour adultère, ce n'était plus une faute pénale au pays depuis nos grand-mères !

Et puis elle arrivait à me brouiller les idées !

J'ai fini par hurler, moi aussi, comme une hystérique, ce que je ne voulais justement pas être. J'en ai abîmé mes cordes vocales au passage et j'étais quasi certaine, avec les fenêtres ouvertes, d'avoir ameuté tous les voisins dans un rayon d'un demi-kilomètre. C'est mon hôte qui allait être ravi. Je mis un terme à cette mascarade de dialogue, les nerfs sortis du cou, en coupant la ligne brusquement, toute désolée de n'avoir qu'un minuscule bouton rouge sur lequel appuyer, au lieu de pouvoir reposer un récepteur sur un socle d'un gros bang, comme me l'aurait permis un modèle de téléphone à l'ancienne. Il me semblait que, si j'avais pu casser quelque chose, ou au moins essayer, je me serais sentie mieux.

Sur ce, Émilie réapparut, gigantesque, accoutrée d'un ridicule boubou noir.

— Papa aussi est énervé à cause de Joanna. Il écoute de la musique sur sa galerie. Ça te calmerait peut-être, toi aussi ?

Cette suggestion typique d'ado m'exaspéra au plus haut point. Tous les problèmes de la vie réglés en prenant une douche acoustique, accompagnée de substances avec effet sur les neurorécepteurs si possible. Comme si l'idée d'aller scanner les corps célestes, le nez en l'air sur le balcon avec son lourdaud de paternel dans les parages, pouvait m'apporter la paix de l'esprit. Avec lui à côté, même une demi-douzaine d'étoiles filantes n'y changeraient rien.

Elle m'étudia une minute, un peu agacée. J'étais toujours assise sur le lit. J'avais deux ou trois doigts qui saignaient encore, toute la surface de la peau de mon visage était anesthésiée, complètement engourdie par une colère noire. J'étais certaine que mon teint tournait au mal embaumé. Et puis je me dis que j'avais la gorge râpée et qu'un verre pourrait au moins prendre soin de ce malaise-là.

Était-ce de la curiosité perverse ? Comme ces voyeurs pathétiques qui s'arrêtent sur la scène d'un accident après l'arrivée de la police dans l'espoir non avoué de se rincer l'œil ? Toujours est-il qu'elle n'eut qu'à me le redemander une fois. Je la laissai me guider le long du corridor pour parvenir à la cuisine, qui donnait sur une galerie en bois peint en rouge à l'arrière. Je pus voir en chemin que dans cet appartement régnait un capharnaüm monumental. Par la porte entrouverte de la salle de bain, j'eus la vision d'un reste de sandwich se momifiant sur le rebord du lavabo. Il y avait des sous-vêtements d'au moins deux, sinon trois générations qui traînaient dans le passage. Il semblait que personne ne perdait son temps à ranger les objets dans les tiroirs ou les armoires ni à les déposer quelque part d'un peu sensé, comme dans une poubelle.

Arrivées sur le perron, il faisait toujours aussi chaud. Dans la ruelle en face, un matou testait ses vocalises devant sa ou ses Juliette hypothétiques pendant qu'un chien solitaire aboyait quelques rues plus loin. En ouvrant bien les oreilles, je percevais, provenant d'encore plus loin, les pleurs discordants, comme un violon mal accordé, d'un bébé qui exprimait son ras-le-bol de la canicule.

Un escalier de fer en colimaçon typique reliait la galerie de la cuisine du premier au balcon de la cuisine du deuxième. J'étais certaine qu'il était emprunté plusieurs centaines de fois par jour. Émilie confirma ma thèse en m'expliquant que, depuis que sa grand-mère se déplaçait péniblement, son père avait interverti les foyers et emménagé en haut avec Joanna et les trois plus jeunes. L'aïeule, elle, vivait maintenant en bas avec les deux ados. La cuisine du bas avait conservé sa vocation d'origine et servait de salle à manger familiale commune aux deux étages. Je montai en tournoyant le long de la rampe jusqu'au deuxième. Cela ne devait pas être beau l'hiver.

L'alcool et la musique étaient bienvenus, surtout pas de conversation. Je craignais toutefois qu'il soit grossier de m'asseoir, la tête collée sur un haut-parleur, le nez dans un verre, sans daigner dire un mot à mon hôte. Heureusement pour moi, celui-ci avait les yeux fermés et soignait également, avec une bonne longueur d'avance, ses bobos avec une solide prise de tord-boyaux supplémentaire. À part sa main qui portait d'un mouvement répétitif le verre à sa bouche, le reste de sa personne semblait avoir l'entrain d'un gars dans son cercueil : parfait pour moi.

J'ai toujours pensé que la musique avait le don de magnifier nos banals moments du quotidien en leur insufflant un caractère hollywoodien. On se trouve moins minable et moins ordinaire avec une mélodie en arrière-fond. Mais ce que ce zigoto avait choisi dépassait l'entendement : un chanteur suave, à la mode dans les années cinquante et soixante, pas mort malheureusement, mais qui n'était plus écouté de nos jours que par des vieilles incontinentes aux cheveux bleus. Et il y avait le chat dans la ruelle pour ajouter à l'ambiance. Le matou offrait une concurrence vraiment déloyale au crooner de ces dames. Puis je pensai que si j'avais été chez moi, ce n'eût guère été mieux. J'aurais eu la pop en canne de ma femme et le moteur du filtreur de la piscine en contrepoint. Alors, autant finir cette soirée exécrable ici avec le chat et les succès d'un âge lointain.

L'autre créature était assise directement sur le sol du balcon, le dos au mur, son gobelet entre les jambes.

Décidément, c'était une manie dans cette famille. Personne n'avait conscience que le concept de chaise existait déjà au temps où l'homme n'était toujours pas sorti de sa caverne ? La porte de la cuisine au milieu comme zone verte, je fis de même du côté opposé. Émilie m'apporta gentiment un bock de Jack Daniel's trop rempli, erreur typique des jeunes qui servent l'alcool fort en proportion d'un verre de bière. Je ne protestai pas. Je n'avais plus l'intention de parler jusqu'à ce que je commence au moins à sentir ma peau sur mes joues quand je les toucherais du bout des doigts.

Les morceaux jouèrent au hasard jusque tard dans la nuit, avec les grillons, les félins en manque et les rumeurs constantes de la ville en accompagnement. Il ne bougea pas, moi non plus. Je venais d'avoir la pire engueulade de toute ma vie.

D'où j'étais assise, je voyais bien le théâtre perpétuel de la ruelle, des cuisines et des fonds de cour. Un voisin obèse alla se chercher un verre de lait dans le frigidaire, en face à droite ; à gauche en bas, quelqu'un aux cheveux gris lisait toujours. Un peu plus loin, deux jeunes en équilibre sur le rebord de leur balcon, les pieds ballants, buvaient et fumaient.

Finalement, Robert partit se coucher et laissa le système de son ouvert, émettant des ondes acoustiques en suspension juste au-dessus de la galerie. J'étais tellement saoule que je commençais à les imaginer planant au-dessus de ma tête, comme un arc-en-ciel dans la nuit, en forme de portée blanche éthérée, parsemée de croches pointées et de doubles croches. Ce chanteur de pomme n'était pas si mal, finalement. Ce choix se mariait bien avec le pathétique moment et les alentours hauts en couleur.

La cervelle dans le coton, accotée à un mur à la peinture écaillée, avec dans les veines un taux de whisky me menant probablement vers le coma, je vis cette nuit se transformer, grâce à mon état peut-être plus psychotique que tangible, en un beau souvenir.

J'allai au lit seulement quand le verre fut vidé. Je dus user d'une concentration surhumaine pour redescendre l'escalier en colimaçon jusqu'au premier et trouver le bon grabat dans la chambre prévue sans m'écraser sur le gazon de mauvaises herbes ou finir par étourderie dans la couche d'un des deux autres occupants.

6. Chicane

Malheureusement, mon réveil n'eut rien à voir avec l'imperceptible glissement naturel du sommeil vers les ondes alpha. Si je me fiais au vacarme, il fut plutôt causé par quelque chose, ou quelqu'un, qui semblait essayer de passer directement de la pièce du dessus à ma chambre en créant un cratère dans le plafond comme portail de transition.

Au début, je ne pus vraiment réagir. Ma cervelle endurait le calvaire, à l'étroit dans sa coque crânienne, autant que mes yeux dans leurs trous. Cela m'aida considérablement à ne pas paniquer en constatant le bourbier dans lequel je m'étais foutue. J'avais les réflexes d'une méduse séchée sur une roche à marée basse. Je devais offrir un spectacle s'en approchant. Mes cheveux devaient avoir triplé de volume avec la chaleur et l'humidité dignes du sous-continent indien qui avaient régné cette nuit-là. Je sentais mes paupières collées par des sécrétions qui s'étaient imbriquées dans mon mascara, qui avait à coup sûr migré dans tous les sens autour de mes globes douloureux. Dans mon état mi-catatonique des premières secondes de veille, j'avais encore la bouche grande ouverte et la conscience très précise d'une coulée de bave séchée sur une de mes joues. J'avais balancé pantalon et t-shirt en bas du lit. Je me trouvais donc les seins à l'air, pendant de chaque côté de mon torse. Et, pour conclure en beauté, ma petite culotte s'était réfugiée d'un seul bord de mon pubis. Pour dévoiler davantage mon intimité, il aurait fallu un spéculum et un spot dirigé vers mon col utérin.

Mes sens m'indiquaient qu'il y avait autre chose dans la pièce avec moi. Mes pupilles se firent un chemin à travers les saletés accrochées à mes cils et je vis Émilie, debout à côté de mon lit, en détresse, se tordant les mains. La cause était manifeste, assourdissante et située directement au-dessus de la chambre. J'étais mortifiée de l'abjection inqualifiable dans laquelle je donnais l'apparence d'être vautrée, une déchéance à laquelle j'avais bien œuvré, il faut le dire. Mais en ouvrant péniblement les yeux, je m'aperçus qu'Émilie ne semblait pas plus surprise de me voir en état végétatif, tout écarquillée sur ses draps, que dans ma voiture, en tailleur de designer, bien coiffée à plat, à l'attendre au terminus deux jours auparavant. Elle était complètement bouleversée.

Je sentais qu'elle escomptait une aide immédiate. Tout comme sur l'autoroute, elle paraissait attristée comme ce n'était pas possible avec ce ciboulot de ballon rond sans menton. Pauvre elle! Il était plus facile d'aller reconduire quelqu'un au travail que de reconstruire une vie familiale en déroute. Je n'avais pas de baguette magique.

Puis j'eus comme un coup sur la tête, je me redressai sur le lit et revêtis le t-shirt avec une boule dans la gorge: Émilie avait besoin de moi.

C'était ridiculement primaire. Je fus comme happée dans l'engrenage du petit plaisir tout juste dévoilé qu'elle me demandait de l'aide; réfléchir n'était plus de mise.

J'enfilai le pantalon de jogging et je pris les devants. Je décidai très naïvement d'aller arbitrer le match de lutte extrême dont l'une des manches critiques se déroulait dans le salon du haut. Je montai l'escalier extérieur, traversai en courant l'appartement du dessus, enjambant une série d'obstacles hétéroclites dans le corridor pour faire face au ring central et à son jeune public terrorisé.

J'arrivai trop tard.

Joanna, dans ses vêtements de la veille, était déjà tombée. Elle se massait la mâchoire en faisant preuve d'une remarquable créativité dans la variété de blasphèmes qu'elle employait sur un registre de quatre octaves. Manifestement, son opposant, lui, venait tout juste de sortir du lit. Il n'avait que ses boxers et sa rage pour habillement.

Le chien sale l'avait frappée.

Mon euphorie initiale tomba brusquement. Le concept du type tabassant sa copine était si théorique pour moi qu'il fut difficile d'évaluer la situation aussi rapidement que la gravité du geste l'imposait. Émilie commença à se décomposer, sa mine complètement désagrégée. Les jumeaux avaient les paupières rythmées de tics nerveux et ajustaient constamment leurs lunettes. Alexandre avait une main sur ses lèvres tremblotantes et la petite Anne…

… la petite Anne me prit totalement au dépourvu.

Elle s'élança comme une bête vers l'agresseur de sa mère en pleurant, non pas pour la défendre ou protester, mais pour s'agripper à lui comme une minuscule sangsue, dérisoire, mais désespérée, avec une force telle que nous fûmes tous saisis de peur.

— Je veux rester avec mon papa !

Si je m'attendais à ça. Monsieur tape sur sa génitrice, et la bambine se lance dans une déclaration d'amour envers son persécuteur.

Cela mit sa mère tellement hors d'elle qu'elle se projeta sur la petite comme une lionne prête à déchiqueter sa progéniture elle-même plutôt que de la laisser au lion. Dans cette prise inattendue, la pauvre Anne fut catapultée à l'autre bout du salon et elle atterrit, le nez directement dans la chaîne stéréo, qui tomba sur le sol, explosant autour d'elle en mille fragments destructifs. Nous eûmes tous l'affreuse vision de son malheureux visage secoué de soubresauts, la bouche ouverte parfaitement ovale, élargie anormalement par une frayeur épouvantable. Elle émit un geignement d'autant plus insupportable qu'il était quasi silencieux. Le sang ruisselait le long de son menton.

J'aurais dû le prévoir : la réaction fut pour ainsi dire nucléaire, autant dans son instantanéité que dans son intensité. Joanna se retrouva la face écrasée sur le plancher avec deux cents livres de force sauvage au-dessus d'elle. Il la dominait, implacable, prêt à lui démonter les cervicales pour s'en faire un jeu de blocs. Manifestement, mon hôte perdait toute mesure si l'on s'attaquait aux petits.

Jusqu'à maintenant, je n'avais pas été plus utile qu'une marguerite sur un champ de bataille. Je n'étais pas équipée mentalement pour gérer ce genre de débâcle. Je comprenais subitement l'intérêt et le charme d'une vie ennuyante à la banlieue très, très éloignée. Pourtant, je devais agir, sinon je finirais avec une orpheline sur les bras et un témoignage de plusieurs pages à signer au poste de police.

Je m'approchai des deux détraqués, avec la voix doucereuse qu'on emploie devant un bambin teigneux, des intonations forcées, légères, pour ne rien brusquer. Je devins hypnotisée par ces grosses mains poilues hésitantes autour de ce cou tout menu à la peau laiteuse. J'insistai délicatement, mais avec un ton que j'espérais autoritaire, pour qu'il lâche prise. Ce fut plutôt une supplication chevrotante. À ma grande surprise, il obtempéra aussitôt et tourna le regard dans ma direction comme s'il m'apercevait pour la toute première fois.

Puis, d'un seul geste, il lâcha la rouquine et traversa le salon pour aller vers Anne et lui éponger le nez avec une chemise ramassée par terre.

La mère, livide, encore le cul sur le parquet, le menaça en beuglant qu'il n'avait aucun droit sur la petite, qu'il n'était ni son père ni son gardien légal, qu'il n'était rien du tout, qu'il ne l'aurait pas et ne la verrait plus jamais. La bambine riposta avec tout l'entêtement d'une enfant de quatre ans qu'elle voulait rester avec son papa et s'abrita derrière lui, s'en servant comme bouclier. Je fus prise en vraie position d'arbitre, précisément entre les deux opposants, qui se retrouvèrent en diagonale dans chaque coin du salon. En réalité, triste modératrice, j'ai plutôt fait office de catalyseur malgré moi, accélérant la teneur du désastre imminent.

À vrai dire, je n'ai jamais vraiment compris ce qui suivit. Plusieurs fois, j'ai repassé ces deux, trois secondes dans ma tête sans pouvoir déterminer qui Joanna voulait exactement blesser et s'il était possible qu'elle ait été si inconsciente dans sa maladresse. Elle projeta dans notre direction, avec une force dont je ne l'aurais pas crue capable, la première chose qui lui tomba sous la main, en l'occurrence un livre de carton épais sur les animaux de la ferme, appartenant à sa fille. Je pense que ma position centrale bloqua le champ de vision du père d'Émilie, ce qui l'empêcha de remplir son rôle d'écran protecteur. Au même moment, la petite sortit de sa cachette et reçut la brique cartonnée de plein fouet, au milieu du front. Une brèche rouge s'ouvrit et elle s'effondra.

Il y eut un flottement imperceptible d'effroi pour tous, un étourdissement où le temps se désintégra. Nous nous regardâmes sans nous voir. Je perdis d'un coup le contrôle sur toutes mes fonctions.

Puis Robert s'élança vers l'enfant et je suivis dans le millionième de seconde. Le combat était terminé, c'était Anne qui était tombée K.-O. Mon premier soulagement fut son hurlement : elle était donc consciente. Il la tenait dans ses bras. Le sang d'Anne coulait sur la poitrine de Robert, se collant à ses poils noirs en une soupe épaisse écœurante. Nous étions désemparés, il fallait arrêter l'hémorragie.

Je n'entendis pas la mère indigne quitter les lieux par en arrière et abandonner la partie, mais, dès que Joanna fut partie, les enfants s'approchèrent et formèrent un cercle autour de nous, consternés. Du coin de l'œil, je voyais les jumeaux ajuster leurs lunettes avec de brefs mouvements répétitifs. Puis j'eus une pensée, parallèle à l'action : ces deux-là étaient complètement TOC. Alexandre et Émilie, eux, ne faisaient preuve d'aucune émotion. Ils avaient enfilé ce scaphandre protecteur épais si typique de la jeunesse, construit pour préserver, mais empêchant aussi d'analyser le moment avec assez de recul pour éviter qu'il laisse des marques permanentes.

Finalement, l'entaille se révéla plus spectaculaire que gravissime. Le sang s'arrêtait à condition de garder une pression sur la coupure, mais des points de suture étaient indispensables, il fallait se rendre à l'hôpital.

Un samedi.

Je devais y aller, bien sûr, mais mon rôle dans cette histoire n'était plus clair. Je ne pouvais certainement pas les laisser continuer sans moi à cette étape. L'idée d'abandonner cinq enfants, dont un blessé, avec un adulte dont la stabilité mentale n'était pas assurée m'était insupportable.

Mais j'avais besoin de réaligner radicalement mes esprits avant de prendre le chemin de l'hôpital ou c'est moi qu'on admettrait en psychiatrie. Un court moment seule s'imposait, et la chambre n'était pas une solution. Il fallait que je m'enferme à clé, un temps, et que je m'assure de n'être surprise par personne. J'allai donc aux toilettes, unique refuge possible. Je me claquemurai à double tour pour me calmer en toute quiétude.

En dépit de la poussière collée à la moisissure sur les carreaux, des serviettes sales et humides qui traînaient et des innommables pots multicolores mi-vides éparpillés sur le plancher, je m'adossai à la porte et m'assis par terre. Mon système nerveux m'injectait encore un excès d'énergie en importante quantité. Il ne s'était pas rendu compte que ce n'était plus nécessaire et que le danger était passé. Bref, je tremblais sans pouvoir me contrôler, comme sous l'effet d'une mauvaise drogue.

J'avais frôlé la catastrophe de beaucoup trop près et je le savais. J'avais été directement dans la ligne d'un engin balistique, ridicule moineau trop curieux pris dans la trajectoire implacable d'un missile sol-air vers un avion ennemi. J'avais l'impression de n'avoir été qu'un obstacle, un paquet de viande dont on pouvait disposer sans aucun état d'âme.

La panique mit un moment à s'estomper.

Ma deuxième pensée fut que, finalement, la vie était plus facile entre femmes.

7. Patronymes

Aller à l'hôpital le samedi de la longue fin de semaine de la fête nationale était éminemment stupide ou désespéré. Nous faisions partie de cette deuxième catégorie. Après les deux chocs qu'elle avait subis, je craignais que la petite ait besoin d'un scanner. Malheureusement, je me doutais bien que le pauvre appareil serait si surchargé cette journée-là qu'on ne s'en servirait pas pour ce qu'on jugerait à peine plus grave qu'une prune sur le coco. On avait déjà annoncé dans la semaine que le personnel hospitalier était au plus bas et que l'attente se comptait plus souvent en jours qu'en heures. J'espérais juste qu'on aurait un peu pitié d'une enfant de quatre ans avec le front ouvert et qui braillait à fendre l'âme.

Je m'étais très sommairement donné un aspect plus civilisé devant le miroir de la salle de bain, qui était presque opaque tant il était couvert de crachats de pâte à dents. Sur le coin de comptoir, un ancien pot de margarine était rempli à ras bord de brosses usées. J'avais empoigné celle qui m'avait paru la moins pire du lot, celle dont les poils n'étaient pas trop écrasés. Je me disais que le danger était que toute la maisonnée ait un critère de sélection identique au mien et que j'aie pris exactement la même brosse que tout le monde. J'avais à peine eu le temps de m'inquiéter de l'influence malsaine que le lieu commençait à avoir sur moi qu'il avait fallu partir. Normalement, je ne me serais jamais montrée en public avec un t-shirt à tête de mort et des cheveux afros années soixante.

Il était déjà midi, je n'arrivais pas à croire qu'on avait dormi si tard. J'eus une brève pensée pour l'effet domino désastreux que cela entraînait: la randonnée à vélo était foutue, mon fils passerait la journée sur ses jeux vidéo, Catherine serait livide et ma voiture était probablement remorquée à la fourrière au moment même. En général, ces gars-là ne branlent pas dans le manche pour assumer pleinement leur vilaine vocation. J'étais désormais haïe par ma femme et à pied.

Émilie avait été responsable d'Anne pendant que son père et moi nous préparions. La petite rechignait, avec un crescendo de décibels de plus en plus intolérable, à laisser sa sœur lui presser le front avec un bandage de fortune.

Je repris les clés de la camionnette familiale. Robert s'était manifestement habillé avec le contenu de son panier à linge, à en juger par l'apparence ratatinée de ses vêtements et l'odeur peu engageante qui s'en dégageait. Comme un nuage agressif semblait l'entourer, je m'abstins de tout commentaire superflu, et les enfants aussi. Ils avaient l'air de comprendre mieux que moi ce qu'il fallait faire. Malheureusement, je soupçonnais que c'était la force de l'habitude.

Émilie s'occuperait des jumeaux pour la journée.

Je n'ose imaginer notre aspect lorsque Robert et moi, tous deux dépenaillés, fîmes notre apparition dans la salle d'attente des urgences avec une petite mulâtre amochée d'une manière qui excluait visiblement le simple accident. Les gens nous jetèrent des regards assassins. Manifestement, le principe de l'innocence ne survit pas longtemps face à la bonne conscience citoyenne. J'étais à la fois furieuse que ces personnes me jugent (elles ne connaissaient rien de moi) et honteuse comme si j'étais fautive. Je m'y étais quand même fourrée toute seule en y sautant à pieds joints, dans cette sale comédie, et je m'y baladais avec un type sinistre sans prendre mes jambes à mon cou.

Nous marchâmes jusqu'comptoir d'admission, Robert tenant toujours la petite contre sa poitrine. Une secrétaire médicale avec de grosses poches sous les yeux nous y attendait. Son deuxième quart de travail en ligne pour la cinquième fois cette semaine-là lui avait fait perdre toute parcelle de politesse élémentaire. Elle nous gratifia d'un manque d'empathie à l'absolue limite de ce que l'on pouvait démontrer tout en se maintenant dans la catégorie de l'espèce humaine. Elle demanda la carte d'assurance maladie de la petite comme si son boulot ne consistait qu'à répertorier les utilisations de ce bout de plastique. Robert me donna une pochette contenant toutes les cartes-soleil de la famille. Je trouvai celle d'Anne, que je tendis à la charmante réceptionniste.

Comme une autiste, j'avais photographié toutes les cartes : Robert Tremblay, 44 ans, les deux jumeaux, Marc et Sébastien Pelletier, Alexandre Lévesque (triste patronyme pour un musulman en devenir) et Anne Noël ; personne ne portait le même nom de famille, et la carte d'Émilie n'était pas là.

Mais qu'est que c'était que cette ménagerie ?

8. Attente

Il n'y a probablement pas un endroit où l'être humain se rapproche le plus du rat que dans une salle d'attente d'hôpital public une fin de semaine de trois jours. Mais, contrairement au rongeur, l'infortuné patient doit rester le derrière bien posé sur sa chaise de plastique et espérer que, même s'il est à bord d'un rafiot qui coule, il fera partie des gras dur qui auront au moins accès à un canot de sauvetage. La plupart, dans notre pays, se trouvent chanceux de se faire récupérer par un vulgaire matelas soufflé en polystyrène.

Anne exerça ses poumons bien au-delà de sa capacité pendant la première demi-heure. Je sentais les yeux mauvais de tous nous dardant rageusement. Il faut dire que certains macéraient dans cette trappe depuis la veille et qu'après un tour du cadran le cul sur un banc de P.V.C., la patience avec les enfants prend le large. Robert ne se démonta pas une miette: pour un gars qui avait perdu les pédales quelques heures auparavant, il était étonnamment inerte. Il se contenta de chuchoter en boucle « chut, chut,

chut » d'un air absent à l'oreille de la fillette, avec la main sur son front, pendant une trentaine de minutes, jusqu'à ce qu'elle se taise d'épuisement. La petite s'agrippait à lui comme à un gros nounours rembourré, le museau calé dans son chandail mi-moisi en train de fermenter, ce qui, finalement, détourna l'attention de la salle. On dut se rendre à l'évidence qu'il ne s'agissait pas d'une enfant battue, ou à tout le moins pas par nous.

Robert ne disait pas un traître mot, mais me fixait intensément. Je finis par saisir que pour lui, c'était moi qui, en tant que pitoune du trio, étais censée leur faire la jasette pour les dérider. Je ne savais pas trop comment me comporter avec lui et cela m'enrageait. Je réalisai soudainement à quel point, depuis le collège, je vivais dans un monde exclusivement de femmes. En effet, le fait d'être chef de poulailler au travail et membre d'une homomaisonnée m'avait privée d'acérer mes griffes, nécessaires au contact du mâle, ou d'avoir un tant soit peu de repartie sur un mode compatible avec la psyché masculine. Pour dire la chose crûment, en plus d'avoir peur de lui (il avait quand même tabassé sa blonde sous mes yeux), je ressentais un autre sentiment ridicule : j'étais très intimidée, troublée.

J'avais beau m'inventer plein de scénarios et m'imaginer que, finalement, ce type était comme toutes les femelles à tête de cochon emmerdantes que je connaissais avec juste une queue en plus, rien à faire.

Il faut dire que son look de motard poilu n'aidait pas. J'avais l'impression d'être une couventine en jupette à côté d'un vieux croche sur un banc de parc, essayant de trouver un sujet de conversation approprié. Tout ça sans me faire sauter dessus, bien sûr.

Il était évident que la petite Anne n'entretenait pas les mêmes appréhensions à son contact. Elle était en parfaite symbiose avec lui, assise sur ses genoux. J'avais craint qu'il ne manque de doigté avec la bambine, déjà traumatisée, mais, au moins, cette malédiction m'avait été épargnée. L'agressivité de monsieur était manifestement canalisée uniquement sur sa marâtre.

Je commençais à faire des calculs d'itinéraire pour rejoindre ma banlieue. Ma voiture devait vivre son heure de gloire avec une grande entrée à la fourrière municipale. Je ne me sentais pas d'attaque pour entreprendre des investigations et découvrir où on l'avait mise au frais. Le train était à peu près inexistant la fin de semaine. Je pourrais toujours prendre le métro et demander à mon épouse de venir me chercher au terminus. Pour ce faire, j'allais devoir passer mon amour-propre au rouleau compresseur et je n'étais pas vraiment prête à cela. De toute façon, j'étais dans de beaux draps. Elle me croirait coupable du pire et ça me prendrait des semaines pour la convaincre que ma pureté et ma naïveté n'avaient pas été compromises.

C'était enrageant.

Je jonglais entre Charybde et Scylla : enquêter sur les tribulations de mon véhicule avec des fonctionnaires et fiers-à-bras désagréables ou affronter le courroux de mon épouse, quand le cellulaire du mâle alpha à côté de moi se lança dans un rock peu approprié en ces parages. De quoi rediriger l'attention belliqueuse des autres malheureux patients envers nous.

Robert sortit pour prendre la communication, après m'avoir passé Anne, qui profita évidemment de l'occasion pour se repaître dans un misérabilisme réconfortant et recommencer à pleurnicher. La salle d'attente dans laquelle nous nous trouvions coincés était dotée d'une énorme vitrine couverte de poussière qui donnait sur la rue et qui laissait filtrer une lumière grise et brillante en cet après-midi trop chaud de solstice d'été.

Robert, sur le trottoir, se planta devant ce cinémascope involontaire pour son entretien. Pour un type qui utilisait ses cordes vocales avec une chiche parcimonie, son mode de communication corporelle, lui, s'approchait des beaux-arts. Il se mouvait en gesticulations de bas en haut, tantôt une main sur le front, le torse renversé par en arrière, tantôt plié en deux. Son bras libre prenait alors des envols presque antinaturels, malmenant sa tignasse avec une large palme nerveuse.

Comme divertissement, toute la salle épiait ce ballet avec grand intérêt. Cela changeait de la randonnée vers la machine à café.

Finalement, Robert revint vers nous très alarmé : il y avait un problème, semble-t-il, à son bar. Il devait y aller de toute urgence. Est-ce que je pouvais rester avec la cocotte jusqu'à son retour ? Il était là, à me fixer, à moitié penché sur nous deux, cheveux en l'air. Même le pelage de sa barbe était hérissé en mode attaque. Je me tassai sur le banc en m'agrippant à la petite. Il était clair qu'il me manquait passablement de stamina pour proposer une réplique négative. Il nous abandonna donc toutes deux à notre ennui.

Naturellement, il fallait que je reparle avec Catherine ; ça promettait d'être rigolo. Je lui avais déjà envoyé un message texte avant de partir pour l'hôpital, prétendant que j'allais chercher mon auto. Je n'avais répondu à ses appels suivants que par claviers interposés. Je dus sortir à mon tour, avec Anne, et annoncer l'imprévu à Catherine. Elle était si en colère qu'elle ne prononça presque aucune syllabe. Je l'avoue, j'eus, à ce moment, vraiment peur de mon épouse, et la bravoure n'est pas ma marque de commerce. Cette appréhension renforça mon désir grandissant, hautement illogique, de retarder mon retour au bercail. Je lui expliquai qu'au train où ça allait on ne passerait peut-être devant le médecin qu'au milieu de la nuit, et je ne pus pas garantir mon retour à la maison avant le lendemain. Elle n'allait quand même pas s'imaginer que j'allais laisser des collègues dans la misère ? Oh ! que non ! Je ne lui dis pas dans quel établissement hospitalier nous espérions notre délivrance, car elle était capable de retontir à tout moment comme si j'étais une gamine en fuite, et cela me ferait trop honte.

Juste avant que je raccroche, elle essaya de me prendre par les sentiments : Pierre-Emmanuel me réclamait, il était tout à l'envers, son autre maman lui manquait. C'est tout juste si je n'éclatai pas d'un rire hystérique. Cela faisait des lustres que ces deux cocos passaient leurs fins de semaine à courir toutes les petites routes du nord l'été et à glisser dans le bois l'hiver. La seule raison pour laquelle ma présence était remarquée quand je me joignais à eux, c'est que je les ralentissais pas à peu près ! Je soupçonnais que la pire saleté à faire serait de demander à Catherine de parler à notre fils. Il était probablement chez son copain en train de se livrer à une orgie digitale avec ses jeux vidéo maintenant que la randonnée à bicycle était tombée à l'eau. À partir de là, il s'apercevrait de mon absence uniquement si j'étais pixélisée en plombier italien.

Je revins m'asseoir, Anne toujours calée contre moi, recroquevillée sur le côté. Débinée, je réalisai que je n'avais jamais pu tenir mon fils aussi longtemps avant qu'il prenne la poudre d'escampette.

L'attente recommença, interminable, sur nos chaises punitives.

Je savais que la petite ne devait pas dormir après un coup à la tête. Je dus m'échiner pendant des minutes qui s'étiraient à l'infini pour trouver des jeux de mots et m'assurer de son éveil. Je songeai qu'il était curieux que Robert m'ait laissée seule avec la bambine. Il avait manifestement un faible pour elle.

Elle était d'un naturel avenant. Je pus l'occuper pendant de longues heures à l'aide de contes surannés et linéaires. C'était une agréable surprise, car, normalement, mes récits vétustes ne s'élevaient jamais au-delà du rang de navets avec les autres enfants. J'en étais à *Boucles d'or et les trois ours* et à une description très détaillée des bols de gruau lorsque Robert revint à point nommé en tenant trois boîtes de repas « coq et frites ». La petite fut enchantée de poser le carton coloré fumant sur ses genoux.

Je remarquai que Robert avait aussi la tempe gauche rouge, une coupure à l'avant-bras, un gros diachylon sur le majeur droit et passablement d'égratignures aux mains. Je lui demandai s'il s'était battu avec une meute de chats enragés et la réponse fut « presque ».

Je décidai de mettre en laisse mes instincts maternels, peu à propos en ce qui le concernait. Je comprenais que moins j'en saurais, mieux je me porterais. On mangea dehors, adossés à la vitre sale, nos repas dans l'assiette de styrofoam jaune fournie avec ce festin. Anne grappilla les meilleurs morceaux de poulet de son papa et délaissa sa propre boîte sans qu'il formule la moindre objection ; il avait l'air ailleurs.

Les heures s'égrenèrent mollement, seconde par seconde ; c'était extrêmement astreignant. Finalement, je m'enhardis à demander à Robert pourquoi les enfants avaient tous des noms de famille différents. Il me répondit sans sourciller que c'était parce qu'ils avaient tous des pères différents. C'était d'une logique implacable. Alors quoi ? Ses ex-blondes avaient mal plié bagage et toutes abandonné une grosse valise derrière ?

Il semblait que oui. Il me confia qu'avec son historique il avait été complètement inconscient de s'acoquiner avec la mère d'une gamine si jeune. Il avait tenté le diable et pavé le chemin pour ajouter un membre à sa troupe de rescapés. Je lui demandai pourquoi il était persuadé que Joanna ne récupérerait pas la petite. Elle avait pourtant fait preuve de peu d'empressement en la lui laissant le matin même.

Il me dit qu'il en doutait. Les enfants restaient toujours, c'était comme ça. Quand elle dessaoulerait pour de bon, Joanna pleurerait un coup et se mettrait en route pour aller chercher la bambine, mais, sur le chemin entre son propre appartement et la maison de son ex, elle verrait comme elle était bien, toute seule dans l'auto, et à quel point sa fille était heureuse avec les autres flos. Elle l'appellerait pour chercher innocemment à savoir s'il pouvait garder la petite une semaine de plus pour qu'elle se rétablisse, puis elle réclamerait un mois et, de fil en aiguille, Anne serait inscrite à l'école du quartier, et puis voilà, une de plus.

Il me demanda si j'avais des enfants. L'implication de cette question était si tordue que je me retins pour ne pas lui balancer une paire de claques. Étais-je sur la liste de monsieur ? Oui, j'avais un fils et j'étais mariée. Je n'allais quand même pas lui dire que j'étais en union lesbienne. Chez les phallocrates patentés comme lui, cette information avait le don de déclencher les espoirs les plus incongrus.

Finalement, on nous a appelés vers neuf heures du soir. Un jeune interne vietnamien, manifestement exténué, nous reçut dans une pièce déprimante peinte en jaune. Il regarda les pupilles d'Anne avec sa petite lampe, la langue avec son petit bâton, lui cogna les deux genoux avec son petit marteau, bref, tous les outils de médecin qu'on pourrait trouver dans un ensemble Fisher Price, avant de déclarer qu'elle n'avait pas besoin de radio. Misère. Cela voulait dire que même le bon vieil appareil à rayons X inventé par madame Curie était en surcharge. On était loin du CTI scan pour s'assurer qu'il n'y avait aucun traumatisme. Finalement, il prit un fil et une aiguille pour lui coudre le front. J'eus la présence d'esprit de jeter un coup d'œil : c'était criant d'évidence que le fil était trop grossier pour la binette de la cocotte.

Il était complètement sauté ou quoi, ce Viet ? Il avait vu la face de la petite ? Elle était déjà handicapée par la vie et il voulait lui faire une suture à la Frankenstein au beau milieu du front ? C'était de l'inconscience ! Avec son teint en plus, elle aurait un air de déterrée pour le restant de ses jours.

Devant mes protestations, le malheureux docteur présenta ses plus plates excuses, articles en moins. Il y avait rupture de stock, « pas fil plus fin dans magasin hôpital ». J'étais catastrophée. Pauvre petite crotte ! Une mère alcoolo, un père d'emprunt cocaïnomane et maintenant une future gueule de zombie. Ce fut Robert qui prit la décision : « Allez, on coud ! » À voir l'aiguille transpercer la chair délicate de la petite pour la marquer à jamais, j'eus presque un haut-le-cœur. Je me plaquai un sourire de clown sur la face pour rassurer la fillette. Je devais être effrayante. Finalement, on mit un bandage et on nous donna un rendez-vous à la clinique pour enlever les points une semaine plus tard.

Il était dix heures du soir quand on sortit de l'hôpital. On atterrit tous les trois sur le trottoir, un peu sonnés de nous retrouver au milieu de la foule rieuse du samedi qui se baladait en cette magnifique soirée d'été. Pendant ce temps, nous avions l'impression d'avoir participé à une course à obstacles et de nous être fait crosser en beauté par le système au bout du compte.

Je marchai avec eux comme si ça allait de soi, la petite nous tenant chacun une main. On monta dans la minoune familiale et on reprit la route. En chemin, Robert s'arrêta acheter des beignes.

Devant l'échantillonnage de rondelles colorées, Anne recouvra complètement son humeur enjouée, choisissant avec une euphorie débridée quelle cochonnerie sucrée et graisseuse de l'étal serait digne d'être présentée en délice à sa fratrie.

On arriva à la maison, où les quatre autres enfants nous attendaient sur le perron donnant sur la rue, tous un peu inquiets, assis sagement en rang d'oignons. Anne sortit de la voiture toute fière. Elle tenait le carton de pâtisseries à deux mains en courant, pour s'enfarger à la dernière marche de la galerie et tomber, la tête la première sur le plancher sale, sans lâcher une seconde les beignets. Robert s'élança à sa suite et, entre un « simonac », un « maudit torrieu » et un « fais don' attention », la remit brusquement sur ses pattes chambranlantes. Il sembla que le moelleux contenu de la boîte avait fait office de coussin gonflable, sa tête imprimée sur le dessus du paquet, son bandage toujours bien en place sur le front. La précieuse cargaison de malbouffe fut prise en charge par Émilie, qui l'emporta sur la galerie arrière. Ils paraissaient passer plus de temps sur leur balcon qu'à l'intérieur.

On engouffra avec délectation le butin. Comme tout était écrabouillé, il y avait de la crème fluorescente partout. Selon moi, ça avait un aspect carrément immangeable, mais le plaisir du groupe était contagieux et, à grand léchage de doigts, je participai au massacre alimentaire jusqu'à la fin.

Puis l'heure du coucher fut déclarée avec extinction des lumières dans la demi-heure suivante. À mon immense surprise, tous les enfants se retirèrent dans leur chambre sans rechigner. Quant à la grand-maman, elle jouissait déjà d'un sommeil médicamenté depuis un bon moment.

Robert fila fermer son bar et, sans que je m'en aperçoive, je le regardai s'éloigner par la ruelle, de la galerie, en silence.

J'envoyai un texto à Catherine pour la rassurer : nous étions toujours à l'hosto, on devait passer devant le doc d'un moment à l'autre.

9. Dodo n° 2

Avant de devenir une personne majeure et éduquée, j'avais été une gamine problématique. Je m'étais fourrée à maintes occasions dans des positions tout à fait périlleuses. Comme la fois où j'avais failli faire les frais du fou braque attitré du voisinage, connu dans toute la rue, en allant farfouiller sous sa galerie. J'étais, je l'avoue, piquée d'une curiosité qui enrageait les adultes. J'avais souvent les mains dans les coffres à bijoux des grands pour admirer les pierres qui brillent, quand ce n'était pas dans le fond des tiroirs pour déterrer des cossins autrement plus compromettants.

J'eus une rechute gravissime.

Dans l'unique chambre dans laquelle, vraiment, le bric-à-brac des armoires n'aurait pas dû m'intéresser le moins du monde.

C'est comme ça que j'atterris, debout au milieu d'une surface jonchée de bidules, de linge sale, de papiers, avec quelques miettes et restes de nourriture. Autant que j'eusse pu en juger, je me trouvai dans le seul coin de plancher encore à l'air libre, en train d'en répertorier le contenu. J'étais fascinée: comment pouvait-on dormir ici?

Bien sûr, on me prit la main dans le sac comme une morveuse.

Est-ce que je l'avais fait exprès?

Peut-être.

Un peu.

Il apparut sur le seuil alors que j'explorais son bric-à-brac. Il ne parut pas surpris outre mesure de constater que je tripotais ses bébelles au milieu de la mer de débris. Il avait même l'air de trouver ça franchement à propos.

Je compris tout de suite que j'étais complètement hors ligue, qu'il m'attaquerait avec des armes dignes de la Troisième Guerre mondiale et que j'allais l'affronter avec un pistolet à eau.

Idiote que j'étais d'avoir pensé que mon sort ne serait pas d'être ligotée à la moindre imprudence.

Il s'avança vers moi et j'eus le réflexe de reculer, pas à pas, posant les pieds dans le seul petit sentier presque libre de carcasses et de gadgets inertes jusqu'à finir dans l'endroit le plus éloigné de la pièce, peinturée dans un coin comme un rat.

— As-tu trouvé ce que tu cherchais?

Pour sauver ce qui me restait de prétention, j'optai pour une stratégie ridicule, qui, je l'espérais, détournerait l'attention. Je débitai des explications sans queue ni tête. Cela n'eut aucun effet. Alors, je fis du surplace, me balançant d'un pied à l'autre, comme chaque fois que je n'arrive pas à maîtriser mes émotions.

Je ne pouvais croire que je m'étais fait prendre comme une bécassine dans une scène aussi éculée. Je maudis mon caractère monogame passif, qui m'avait peu préparée à la situation dans laquelle je venais de me fourrer.

Il s'approcha encore plus. Des effluves d'homme mal lavé remplirent la chambre au parfum déjà pas très alléchant. Cela me déplaisait et me plaisait à la fois. L'échouage.

J'avais totalement perdu mes repères. Sinon comment expliquer la tentation de goûter du sucré-moisi ? C'était complètement irrationnel.

Je pris une grande inspiration. Prête à bondir vers la sortie. Robert me chuchota :

— T'essayes trop de penser avec ta caboche. Tu devrais écouter tes tripes.

Je pouvais à peine respirer et j'avais le goût de vomir. C'était ça qu'il voulait dire ? Il se pencha vers moi et je m'aperçus qu'il était sur le point d'outrepasser des frontières historiques. Avant qu'il arrive au point d'impact, je l'arrêtai pour lui demander, en levant les yeux :

— Et quand la tête et les tripes se contredisent ?

Décidément, je n'allais pas bien du tout ! Il était beaucoup trop près. Je voyais son visage flou, hors de ma zone de focus. Il me répondit en s'avançant et saisit deux doigts de l'une de mes mains ballantes :

— J'écoute toujours mes tripes. Par expérience, je sais que c'est elles qui ont raison.

Il reprit sa manœuvre…

Un cadavre aurait été plus réceptif. Ma conscience se détacha de mon corps pendant ce mauvais moment à passer. J'eus l'impression de flotter au-dessus du carnage, contemplant la scène en contrebas en me demandant ce que diable je faisais là.

Il dut bien cesser l'expérimentation : ça devenait extrêmement gênant pour lui.

— Hum ! C'est pas ton truc, on dirait.

Normalement, l'affaire aurait dû être réglée séance tenante avec les conclusions qui s'imposaient.

Il me regarda, hésitant manifestement sur la marche à suivre. Je n'étais pas un caniche avec lequel il fallait juste trouver la bonne sorte de biscuit pour qu'il donne la papatte, quand même !

J'étais en plein débat, jonglant avec les stratégies qui me restaient, autant qu'on puisse réfléchir en tombant d'un immeuble en feu.

Écouter ses tripes, qu'il avait dit.

C'était clair, ce qu'elles me criaient, mes tripes : mon côlon agonisait avec des crampes apocalyptiques. C'était ça, mes fameuses tripes. Elles hurlaient : « Non ! Et re-non ! Très, très mauvaise idée ! »

Et puis j'étais excédée. Pourquoi m'astreindre à subir des assauts de cette nature à mon âge ?

J'écouterais ma raison, comme toujours. Le message de ma matière grise était limpide, glacial peut-être. C'était ma personnalité sans aucune place pour le superflu. Je n'irais pas contre mon compas existentiel, celui qui m'avait empêchée de me casser la gueule jusqu'ici, au moment où cet hurluberlu essayait de se faire un chemin dans mes culottes.

Je réalisai que j'avais été trop longue dans mon immobilité, dans ce manque de décision apparente. Dans l'analyse de mes états biologiques, j'avais oublié qu'une absence de réponse n'était pas, pour la moitié de la planète et contrairement à ce que l'on pourrait penser, perçue comme une non-réponse.

C'était reçu clair et net, toujours positivement.

Il me prit la main très lentement, je regardai mes paumes vieillissantes, trop sèches, mes ongles rongés. À vrai dire, nos deux mains réunies étaient considérablement abîmées. Les siennes étaient carrément massacrées.

En observant nos doigts qui se tricotaient l'un dans l'autre, je sentis que les bases de ma raison étaient sérieusement en train de vaciller.

Il s'entêta.

Je me dis: « C'est curieux, il insiste, il persiste. » Je ne pouvais imaginer quel agrément de séduction je pouvais bien offrir, à part celui du triomphe de la capture.

Il me guida vers le lit comme si ça faisait dix ans qu'on était ensemble, sans en avoir l'air, doucement, avec habileté, en ne me quittant pas des yeux une seconde, même pour un clignement de paupières.

On s'assit, en bout de piste, sur le matelas trop mou.

Je m'étais fait prendre à un stupide jeu vieux comme le monde, finalement! J'étais furieuse. J'avais mis le pied direct dans la trappe sans même renifler le piège au préalable.

Sur le moment, je pensai qu'il y avait probablement encore des cheveux roux sur la taie d'oreiller et j'eus un instant de réelle panique. Mais à quoi bon ? Sans que je comprenne vraiment comment, j'étais là.

Je n'osai pas parler, j'avais mal au cœur.

Il me regarda du coin de l'œil :

— J'espère que tu t'attends à rien d'élaboré. Les trucs compliqués, c'est pas mon fort.

Pas de trucs compliqués ? Je faillis éclater d'un rire hystérique. Il se moquait de moi ou quoi ? De quoi j'avais l'air ? D'une professionnelle du yoga ? Après toutes ces années à essayer de me mettre en quatre dans des séances pratiques sans amélioration perceptible, je n'avais pas du tout dans l'idée de me lancer dans des trucs compliqués avec monsieur. Ce que j'avais eu à faire jusque-là me convenait très bien, merci. Cette promesse d'aller au plus simple résolvait mon problème numéro un. Il aurait cherché à m'embobiner avec n'importe quel autre chantage de pomme qu'il n'aurait pas mieux réussi qu'avec cette petite phrase de dernière minute.

De toute façon, quand on s'élance pour un premier tour de jogging, inutile de préparer une heure de course. Dix minutes autour du quadrilatère suffisent pour finir à bout de souffle.

10. Voile

Je me réveillai à quatre heures du matin et j'allai aux toilettes. Dans la glace en face du bain, je pouvais voir mon reflet. Ma tête habitudelle, celle qui semblait appartenir à quelqu'un d'autre. Ça avait toujours été comme ça. Comment était-il possible que mon visage reflète si peu ce que j'étais derrière ?

Et j'aperçus mon corps ; mon corps, lui, était toujours à moi. C'était un corps vieilli, certes, trop mou et trop gras, et ça pendait çà et là. En plus, j'avais des marques rouges partout, qui finiraient en bleus de toutes les couleurs. Ce type était complètement nul au lit, c'était absolument certain. OK, ça avait été une danse que j'avais très mal maîtrisée : des pas nouveaux, des positions de départ que je ne connaissais pas, mais j'étais assez informée pour savoir que je n'étais pas censée y perdre les orteils.

Je m'assis sur la toilette un moment. J'avais des rougeurs sur chaque cuisse. J'eus le goût puéril de dérouler le rouleau de papier au grand complet pour bloquer la toilette et tout inonder. Puis je pensai à la vieille aux cheveux bleus qui dormait en bas, et mes idées se remirent plus ou moins en place. Oui, il avait été nul, vraiment, mais vraiment nul. J'aurais dû m'y attendre. Je me levai, fermai la lumière et je le rejoignis au lit en essayant de ne marcher sur rien de tranchant ou de gluant. Heureusement, la pénombre était relative, car le lampadaire jaune de la rue éclairait la chambre d'une lueur dorée.

J'allai me recoucher à côté de lui. Je me promis de changer les draps le lendemain. Je ne pouvais plus souffrir le parfum de cette femme, qui s'était incrusté dans tous les tissus de cette baraque. S'il le fallait, je brûlerais quelques oreillers au passage. Je collai mon nez dans son dos. Ça pouvait difficilement être pire : il était poilu à cet endroit-là aussi, de longs poils noirâtres. En fait, il était poilu partout, merde ! Au moins, il ne sentait pas aussi mauvais que je l'avais craint. Et la barbe ne présentait pas le défi hygiénique que j'avais imaginé. Ses cheveux noirs étaient mal coupés, mais agréables à toucher, peut-être d'autant plus qu'ils étaient sales, si ça se trouve.

J'eus un dernier regret avant de m'endormir : comme certaines femmes qui cessent de porter le voile devant la visite, je venais de perdre une part de mon identité qui faisait aussi ma fierté, celle de ne pas être comme les autres femmes que je croise dans la rue.

11. Visite

Le lendemain, ce fut un barda festif qui me réveilla. On aurait juré qu'on inaugurait un restaurant pour cent personnes, compte tenu du vacarme de vaisselle qui venait de la cuisine. Je me levai du lit, encore sonnée par mon passage dans l'autre dimension. Je n'étais pas enchantée à l'idée de remettre le t-shirt à tête de mort sanglante, mais il était hors de question que j'apparaisse devant le cercle pseudo-familial avec un chandail de monsieur.

La salle à manger du deuxième était vide. Quelqu'un avait laissé le réfrigérateur ouvert et je m'empressai de le fermer. Le raffut joyeux provenait de celle d'en bas. J'étais certaine que tous les voisins à la ronde savaient qu'on popotait chez les Tremblay en ce dimanche matin. Je descendis l'escalier en colimaçon jusqu'à la galerie du rez-de-chaussée et, à travers le moustiquaire, on pouvait déjà voir qu'il y avait du monde à la messe. La table était agrandie au maximum, ce qui fait qu'on avait à peine de l'espace entre les chaises et les murs pour s'asseoir. À cette tablée trônait naturellement la grand-mère avec sa grimace, que je commençais à deviner perpétuelle. C'est la grimace des gens qui ont gémi toute leur vie: ils finissent par rider tels quels. Il y avait les cinq enfants plus un ado, amanché de la même façon qu'Alexandre, mais clairement d'un bagage racial qui lui permettait difficilement de passer outre à l'islam. On me le présenta comme Shaban. Shaban dégageait un bonheur évident d'avoir la chance de faire partie de la mêlée.

En plus était attablée une vieille, plus large que haute, vêtue d'une robe incroyable à fleurs orange géantes. Elle gloussait joyeusement avec Émilie en luttant contre un emphysème certain. C'était Matantuguette, responsable du ménage.

Je doutais que cette personne puisse se hisser jusqu'au deuxième étage et encore moins se pencher pour nettoyer un plancher. Il se trouve que c'était surtout la voisine depuis un demi-siècle. Elle faisait impérativement partie du décor chaque dimanche. Un gros saint-bernard essayait tant bien que mal de se faufiler entre les bancs et les chaises, laissant des traînées de bave ici et là. C'était un voisin, lui itou. Je renonçai à demander s'il s'avançait, lui aussi, de son propre chef tous les jours du Seigneur que le Bon Dieu amène.

Inutile de dire que, dans ce cadre, je passai presque inaperçue, ce qui me soulagea énormément. Je m'assis à côté d'Émilie avec une certaine appréhension. Je venais quand même de me taper son papa. Elle était dans son espèce de tunique noire, qui tenait plus de l'abaya que du vêtement de nuit. Elle remarqua mes bleus aux bras et parut enchantée. Alexandre, un peu moins subtil, me servit le café au percolateur en me souhaitant la bienvenue dans la famille.

Voilà. C'était fait.

Par quel miracle, moi qui avais passé presque quarante ans sans trop me fourrer dans la merde, avais-je réussi à tout garrocher en l'air en moins de quarante-huit heures? Bien sûr, il n'était pas question que je reste avec cette bande de mésadaptés sociaux. Je m'interrogeai par contre sérieusement quant à l'issue de mon mariage, pour ne pas dire mon aboutissement tout court. Je n'avais jamais mis mon épouse à l'épreuve. J'éprouvai pour la première fois une crainte physique.

Robert se tenait derrière un vieux fourneau à faire des crêpes, heureux comme un pape à la messe. Il me fit un clin d'œil macho qui surpassait tous les degrés de quétainerie dont j'avais été témoin dans mon existence.

Les galettes et le sirop furent certifiés halal après que les jumeaux eurent lu la liste d'ingrédients de la boîte à voix haute. Alexandre et Shaban se jetèrent dessus, affamés, mais pas sur les saucisses et le bacon, qu'on prit un malin plaisir à poser devant eux. Presque tous avaient fait une piscine de sirop d'érable dans leur assiette pour y accueillir les crêpes. Aucun des adultes présents ne semblait s'en formaliser. Le lait au chocolat coulait à flots, de même que les tartinades industrielles et la mélasse. On était très loin du guide national de l'alimentation.

J'étais déroutée par le laisser-aller de cette maisonnée: tous mangeaient comme des cochons, suivaient un régime qui sortait des années cinquante, n'avaient manifestement aucune retenue pour rien, exhibaient une grande insouciance, surtout par rapport à l'hygiène corporelle de base, et témoignaient d'un sérieux problème d'aménagement du territoire intérieur. Employer une femme de ménage de la taille d'un jumbo jet pour pallier la situation tenait de la pensée magique. Il n'y avait aucun espoir que cette mémère manie mop et plumeaux. Lui offrir des sous pour cette tâche faisait davantage office de don à l'aide sociale que de mesure de salubrité. Il faut dire que la vieille était communicative et guillerette. Elle avait indubitablement une mainmise étendue, que je ne saisis pas tout de suite.

Le bonheur familial était débridé. Les enfants riaient la bouche pleine et mangeaient tantôt assis, tantôt debout. Même Shaban, qui devait sûrement venir d'un milieu plus contrôlé, participa à la consolidation de l'état des lieux en soue à cochons en lançant un morceau dégoulinant de crêpe à Émilie. C'était la première fin de semaine des vacances d'été, alors l'excitation était à son apogée. Un jumeau demanda si les crêpes de papa étaient meilleures que la fois où il avait failli mettre le feu à la cuisine. Soudain, j'eus le choc de voir une grosse main grasse s'abattre sur ses oreilles, presque affectueusement, il faut l'avouer, mais quand même avec une puissance appréciable.

— Forcément, répondit Matantuguette, il n'avait que dix ans. Tu sais faire des galettes, toi ? Sois respectueux avec ton père.

Cela semblait faire partie des souvenirs du répertoire familial qu'on aimait ressasser chaque fois que ce plat revenait au menu. Un jour, le bedon de Robert avait grogné famine plus que de coutume. Il avait donc fait une malheureuse tentative culinaire qui aurait détruit la bâtisse jusqu'aux fondations si la voisine, ici présente, n'avait pas fait irruption dans la pièce à ce moment-là.

La grand-mère profita de ce moment pour exprimer ses regrets :

— Robert était un enfant ben trop grouillant. C'est sûr que si j'avais eu les pilules qui existent aujourd'hui…

La phrase en suspens, telle une menace, pulvérisa la bonhomie ambiante. Le teint des six jeunes et de la matante, de quatre à soixante-dix ans, prit des colorations variant entre le vert et le gris. Il faut dire que, puisque la mémé disait rarement plus que deux mots, une phrase presque complète était d'autant plus impressionnante.

Je vis Robert faire un signe de la tête aux enfants, et ceux-ci ignorèrent la grand-mère, comme si elle n'avait rien dit. Ils reprirent tous promptement leur couleur initiale et leur cuillère.

J'eus pitié de la vieille : elle souffrait, manifestement sous le joug d'une grave maladie, et elle avait perdu toute autorité sur son foyer d'origine.

Le reste du repas, l'aïeule se tut, n'ayant pas la force, avec sa hargne éteinte, de lutter contre la bonne humeur simpliste de Matantuguette et des enfants.

À la fin du déjeuner, tous coururent mettre leurs couverts dans le lave-vaisselle, restes de nourriture inclus. Émilie se chargea de vider la table, et Alexandre s'attaqua à la pantry avec une guenille grise, que je devinai être une vieille paire de bobettes.

Après dix minutes, tout était fait. Mal fait, mais fait.

Robert me planta un bec sonore sur la bouche et me demanda ce que je voulais faire de la journée. Ils assumaient tous ma place permanente dans leur tableau familial sans que j'arrive à me l'expliquer.

Il était hors de question que je fasse partie à demeure de leur écurie communale.

Je prétextai un téléphone « à mon époux » pour m'éclipser un moment. Ma partie de poker menteur devenait de plus en plus épuisante.

Je m'échappai au deuxième étage, parfaitement calme. Il semble que le dimanche, à cause de la présence de la grand-mère et de Matantuguette, c'était une affaire de premier.

J'eus une longue discussion avec Catherine. Je lui expliquai que je devrais possiblement passer la fin de semaine avec mon collègue, car il était au plus mal. Au pire, je pourrais aller travailler directement d'ici le mardi. Inutile de dire que cela ne fut pas un échange de beaux mots. Comme le chantage émotionnel du dernier contact n'avait pas marché, elle s'engagea dans un mode plus belliqueux. Je ne me reconnaissais plus, dans mon entêtement à rester. Sans calculs, j'avais réussi, pour la première fois de notre vie commune, à me mettre complètement hors de portée de la sujétion de Catherine. J'étais persuadée qu'elle avait déjà ameuté tous mes collègues de travail pour s'enquérir de mes mouvements après le boulot vendredi et que toutes nos connaissances avaient été interrogées à fond. Nous le savions toutes les deux : je mentais, mais elle ne fit pas l'erreur tactique de me le reprocher au moment où j'étais hors d'atteinte. Ma seule crainte était qu'elle lance une recherche avec mon cellulaire une fois de retour au poste. Je doutais toutefois qu'on permette d'utiliser ce genre de ressource pour une épouse insoumise. Et puis ça aurait été comme avouer à tout le monde que je lui avais fait faux bond. Je commençai quand même à redouter de la voir apparaître dans le cadre de porte.

Je ne pouvais simplement pas laisser cette famille à elle-même. J'hésitai entre me lancer dans le nettoyage de printemps du millénaire et, plus à propos, déclarer la situation à la Protection de la jeunesse. Je ne pouvais seulement pas partir comme ça. Il fallait juste que je sois un peu plus maligne pour éviter mon empoté de Roméo ce soir-là si je ne voulais pas ressembler à une peinture de Pollock à mon retour mardi.

Je descendis rejoindre tout le monde en tournoyant dans le colimaçon. Je croisai Robert, qui montait chercher la chaîne haute-fidélité, les deux jumeaux souhaitaient essayer de la réparer. Pendant qu'il était à l'étage, je demandai aux garçons pourquoi on ne réclamait pas simplement les frais aux assurances à la place. On me répondit que c'était mononcle qui leur avait vendu la chaîne. Il semble que ce seul critère rendait l'objet non assurable. Alexandre et Shaban s'installèrent à la table pour une partie de dames, Émilie discutait avec animation de son travail au restaurant avec Matantuguette, et la mémé, morose, regardait la rue déserte par la fenêtre.

La voyant en train de broyer du noir, Émilie alla chercher son médicament contre la douleur, qui était sous clé. Elle lui en servit une grosse cuillerée, laquelle devait manifestement contenir du bonheur liquide, car la vieille susurra une turlute de La Bolduc pendant un moment après en avoir ingéré le contenu.

Robert descendit le stéréo déglingué et le posa au milieu du salon, provoquant des réactions euphoriques de la part des blondinets, qui avaient ouvert deux coffres à outils pour l'occasion. Il se réserva évidemment la prérogative de superviser la restauration de l'objet, à cause de certaines pièces dangereuses. Les mines extatiques des garçons me firent comme un électrochoc. Est-ce que mon fils m'avait jamais contemplée comme ça ? Avec un ravissement profond et une confiance aveugle, comme si j'étais un être exceptionnel ?

C'est à ce moment qu'on sonna à la porte principale. Tous, nous nous regardâmes, un peu surpris. J'avais cru comprendre qu'on ne s'annonçait pas chez Robert Tremblay. On s'avançait par la cour sans tambour ni trompette dès qu'on avait été présenté une fois. L'emploi du carillon impliquait forcément un étranger.

Alexandre se leva pour aller répondre. Il déplia son grand corps d'ado mal proportionné et ouvrit la porte. Il revint aussitôt se réfugier derrière Robert, comme un chiot blessé. On pigea tous qu'un truc clochait quand Shaban, qui ne semblait pas si à l'aise avec le maître des lieux, fit de même. Devant la porte, trois géants barbus à longue robe blanche faisaient barrage.

Robert, sans se laisser démonter, alla s'enquérir directement auprès des escogriffes. Ceux-ci se présentèrent comme des coreligionnaires d'une mosquée voisine qui venaient chercher les deux adolescents pour prendre part à une leçon. Ils étaient invités avec insistance. Robert regarda les deux gamins. Si Alexandre était craintif, Shaban, lui, était vert et se tenait la bouche comme pour vomir.

Robert n'étudia la question qu'un très court moment et se retourna vers les trois solliciteurs pour annoncer que les deux jeunes n'étaient « pas intéressés, merci quand même ».

Il semble que ces messieurs n'étaient pas très heureux de se faire envoyer poliment paître par un mécréant et ils entreprirent de forcer l'entrée pour convaincre Shaban de quitter cette demeure d'infidèles. Avant qu'on puisse réaliser ce qui se passait, l'ami d'Alexandre, paniqué, fit une tentative malencontreuse de filer par la ruelle. Mal lui en prit, car il venait ainsi de perdre son avantage en se mettant à découvert. Les trois échalas ressortirent aussitôt pour le récupérer derrière la maison. À voir le pauvre Shaban, il était clair que la persuasion par la doctrine théologique n'était pas la technique favorite d'enrôlement. Cela avait plutôt des relents de bizutage divin.

Nous étions tous terrifiés. Pas loin d'imaginer ces trois-là avec des ceintures garnies de bombes sous leur jaquette.

Sauf Robert.

Y a-t-il beaucoup de gens qui ont un bâton de baseball derrière leur porte ?

Lui, il en avait un. Il l'empoigna et courut d'une manière étonnamment rapide pour un baraqué ventru de son espèce, se plantant devant Shaban et faisant office de mur protecteur. Toute la famille suivit, sauf les deux vieilles. Nous voulions être témoins du spectacle.

On se retrouva tous dans la ruelle, Shaban derrière Robert, qui tenait son bâton comme une canne de dandy, crâneur à souhait, devant les trois types en djellaba blanche.

— Dégagez ! Mes gars ont déjà fait toutes leurs prières aujourd'hui.

J'étais ébahie de son air fendant. Il dévisageait les trois barbus avec un calme stupéfiant. En y regardant bien, je fus étonnée de leur jeunesse camouflée sous les broussailles. Ces trois-là pouvaient à peine voter. Finalement, ils décidèrent de se retrancher par un passage entre deux maisons, non sans nous avoir invectivés en nous traitant d'infidèles et d'incroyants, dans un français impeccable, avant de disparaître derrière une clôture de bois chambranlante.

Normalement, cela aurait dû être la fin de l'épisode… si le plus inconscient des trois n'avait pas ressorti sa mine de gogol coiffé de sa sacro-sainte tuque tricotée et ne s'était pas lancé dans une diatribe en arabe bien sentie, dont nous ne comprîmes naturellement pas un traître mot. Mais pour Robert, ce fut vraiment trop.

Ça n'avait guère été brillant sur le plan tactique. En gardant le silence et en ravalant leur honneur, ils s'en seraient assurément tirés sans une égratignure. Malheureusement, on ne pouvait pas compter sur mon hôte pour être le plus raisonnable des deux camps et laisser courir.

Robert s'élança entre les deux maisons voisines, sauta la barrière, pour les rattraper par la rue, avec nous sur ses talons. Tous les sept, entre les craques de la clôture, nous fûmes témoins de l'épreuve de force finale. Les trois adolescents montèrent dans leur minoune, Robert les attendait au milieu de la voie avec son bâton. Un gourdin contre une voiture qui se précipite à toute allure, ça me paraissait un duel honteusement disproportionné.

Ce n'était qu'un avantage apparent. Robert n'en était incontestablement pas à sa première bataille de ruelle, ce qui était beaucoup moins clair pour les trois zouaves islamistes.

C'est à peine croyable à quel point la testostérone enraye la jugeote! Avec une once de bon sens, ils auraient réalisé tous les trois que le mieux aurait été le repli stratégique. Ils accélérèrent plutôt en direction de leur cible, jugeant erronément qu'à trois jeunes dans une carapace d'acier ils s'en tireraient aisément contre un vieux croulant armé d'un bâton.

Mal leur en prit, car il les esquiva avec facilité et, d'un grand coup du côté passager, pulvérisa le pare-brise. Lorsqu'ils durent ralentir, par surprise, pour recouvrer leurs esprits et voir où ils en étaient, il démolit vitres, portes et feux arrière au milieu de leurs « Yalla ! Yalla ! » paniqués. Ces empotés de sbires passèrent finalement aux injures locales pour être certains qu'on les avait bien compris. Les insultes de la catégorie de « mécréant » devinrent des « ostie de tabarnak de fou furieux » et ils décrissèrent sans demander leur reste.

Robert revint comme si de rien n'était et réclama un balai pour nettoyer la rue. Émilie le lui apporta. Ce n'était pas brillant. Quel exemple à donner aux enfants ! Les trois plus jeunes entreprirent de rejouer la séquence, une branche d'arbre en main, dans la ruelle, tel un acte épique. Alexandre et Shaban parurent soulagés. J'interrogeai Alexandre, cherchant à savoir s'il n'avait pas peur que leurs prosélytes rappliquent. Il me répondit que non, il ne croyait pas, ils n'étaient pas si dangereux que ça.

Oui, je n'avais aucune difficulté à les supposer moins redoutables que son papa. Je commençais à comprendre. Ce type tournait autour de sa tribu comme un chien de berger. Il laissait les enfants faire absolument tout ce qu'ils voulaient. Son programme pédagogique tenait à ce qu'ils aient toujours le ventre plein et soient au chaud.

Mais gare à qui s'en approcherait avec de mauvaises intentions.

Là, c'était le carnage.

12. Débarque

Pour calmer tout le monde, Matantuguette proposa des biscuits et un bon verre de lait aux jeunes. Shaban opta pour une sortie de scène rapide. Il avait l'air d'un petit bonhomme s'éclipsant pour aller se terrer sous son lit. Il remercia Robert avec effusion avant de nous quitter par la porte-moustiquaire de la cuisine, puis la ruelle.

Alexandre décida de se relancer dans l'étude de son Coran, pour faire changement et pour trouver des réponses à l'incident, sans aucun doute. Émilie alla s'habiller pour le travail. À cause de la fête nationale du lendemain, elle devait exceptionnellement assurer le quart du dimanche.

On se réinstalla tous autour de la table pour se réconforter avec les moyens du bord. Nous étions encore passablement à bout de nerfs. Le démantèlement de la chaîne stéréo et l'accident d'Anne, le jour d'avant, étaient à peine digérés. Maintenant, la visite des illuminés d'Allah avait laissé un fond d'ozone dans l'air qui ne se dissipait pas facilement. Anne était attablée et trempait ses biscuits dans un verre de lait sous l'œil bienfaisant de Matantuguette. Alexandre prétendait étudier ses sourates, les coudes sur la surface en mélamine, se tenant les tempes en agrippant sa barbe éparse avec ses longs doigts crispés. Les jumeaux avaient quant à eux délaissé leurs biscuits et on les apercevait dans le salon voisin. Ils essayaient de remonter les pièces éparpillées de la chaîne stéréo sur le plancher en produisant de courts reniflements rythmés par cinq, qui témoignaient de leur agitation. Robert fumait un truc nauséabond appuyé au comptoir.

Il était apparent que la petite Anne voulait des explications. Elle avait une mine sérieuse de vieille sur son visage de poupon. Elle cogitait sur des concepts hors de sa portée et posait des questions que Robert et Matantuguette éludaient avec tout le brio des personnes qui ne savent pas quoi répondre. N'y tenant plus, elle demanda à Alexandre directement pourquoi il souhaitait tant être islamique si les prêtres musulmans lui voulaient du mal et qu'ils étaient tous méchants. Cette fois-ci, Matantuguette répliqua à la place de l'ado. « Ben non ! Ils ne sont pas tous méchants, et de toute façon, l'idée va lui passer, comme toutes les autres. » Cette intervention ne plut pas du tout à Alexandre. Prétendre que sa nouvelle raison d'être était juste une lubie immature, et forcément temporaire, c'était frapper fort dans ses bases existentielles en construction.

Il se lança dans une charge dogmatique sur la vacuité de la réalité de l'Homo occidentus. Il prétexta que la vie ne servait à rien si on était sur terre seulement pour travailler à des jobs débiles, polluer l'atmosphère en revenant du boulot avec nos gros chars et gangréner la planète en bouffant toutes ses ressources, tout ça pour produire quoi ? Un énorme caca qui va chaque jour se rajouter au tas de merde ingérable chié par les huit milliards de machines à crottes que constitue la population mondiale d'aujourd'hui. Plus rien n'a de sens et on peut aussi bien se tirer une balle tout de suite si c'est juste pour participer à la société de consommation en engraissant les multinationales.

Seul Allah donne une finalité logique à la vie.

Sa diatribe avait été trop longue. Matantuguette, guenille en main, était passée à l'étape du nettoyage du comptoir, et Anne était restée bloquée au mot « caca ».

Je commençai à songer à simplement investir les cent cinquante dollars nécessaires à mon évasion en taxi. Ainsi, je ficherais le camp pendant que cet apaisement religieux environnemental battait son plein, ce qui ne pouvait être que provisoire, et qu'ils en étaient tous à macérer dans leur jus.

Émilie sortit de sa chambre, elle avait son accoutrement habituel de noir sur noir qui traînait par terre et son sac de cuir en bandoulière puant le ranci.

— Je vais travailler.

Et c'est là que je mis les pieds dans le plat, et magistralement en plus !

Pendant que tous jouissaient d'une accalmie bienvenue, c'est moi qui jetai l'eau sur l'huile en train de brûler. Oh ! je voulais probablement me venger avant de quitter ce type qui ne m'avait légué qu'une collection de bleus, un gars qui avait une nuée de morveux qui le tétaient comme une portée de chiots trop vieux refusant d'ouvrir les yeux et l'appelaient « papa ». Et, merde, il n'était même pas le vrai père ! Et moi, misérable, je retournais à quelque chose que j'avais de plus en plus de peine à définir, à un fils dont j'avais accouché moi-même et qui ne me désignait que par mon prénom. Pas de « maman » pour moi.

Je regardai Robert.

— Je ne peux pas croire que tu la laisses partir sur le pouce.

Il battit des cils et je vis qu'il comprenait soudainement l'implication de ce que j'avais dit.

Rien n'aurait pu me préparer à la brutalité de ce qui suivit. Furieux, il réagit comme un personnage sur une bobine de film mal réparée où un mouvement arrive trop vite. Personne n'eut le temps de porter son attention sur la scène que le coup était décoché. On ne sut pas si c'était un coup de poing, une claque avec le plat de la main ou autre chose. Il était enragé. Émilie, elle, tomba à la renverse, son crâne frappa le plancher avec un bruit de billot sec qui résonne. Elle se retrouva sur le dos, les yeux tout retournés, cherchant un horizon subitement volatilisé, les bras le long du corps. Robert se dressa, la surplombant, une jambe de part en part d'elle au niveau de son abdomen, un pied sur chacune de ses paumes, lui écrasant les doigts sur le sol, la plaquant par terre sans merci. Cela avait pris moins de trois secondes. Une exécution nous aurait fait le même effet.

C'était hallucinant, la petite tout en noir, comme une coquerelle vivante qu'un entomologiste fou furieux aurait épinglée par les ailes sur un tableau de bois. Elle était immobile et sans défense, retenue par les mains. Il était raide comme une aiguille, les poings tellement serrés qu'ils en tremblaient, le cou tendu d'une pression visiblement explosive. Je me serais presque attendue à ce que du sang s'écoule de ses oreilles. Je ne voyais que son dos, ses épaules nouées, et Émilie face à moi, comme si c'était mon miroir. La petite cligna des yeux, retrouvant conscience, et porta son regard sur la figure de son père en contre-plongée.

Je me souviendrai longtemps de ce mélange de terreur et de supplication dans son regard éperdu, ces traits dénivelés par le coup asséné sur son visage, indécents dans la nudité totale et absolue qu'ils dévoilaient.

— Papa, s'il te plaît. Papa, papa.

Pour une rare fois dans mon existence, je me sentis comme une mère. En un instant, je m'accroupis à côté d'Émilie, me positionnant dans l'angle de tir, dans l'axe exact entre les deux paires de pupilles dilatées. Je me dévissai la tête vers le haut et je vis ce qu'elle voyait. Surprise un instant, je me demandai pourquoi elle était si terrifiée. C'était un regard vide, complètement absent. Puis, en une seconde, j'eus les poils qui se hérissèrent partout sur mon corps : des yeux vacants, inertes.

Et il lui écrasait toujours les mains sur le plancher de prélart. Anne commença à hurler en arrière-plan. J'étais trop au centre du cyclone pour voir comment les autres se débrouillaient.

— Robert !

Je ne reconnus pas mon cri, hystérique.

— Robert !

Il battit des paupières et ce fut fini. Comme l'atterrissage d'un météorite. Il s'élança hors de la cuisine et j'entendis la porte de la salle de bain claquer, le mur de bois craquer le long du corridor. La seconde suivante, Émilie sanglotait dans mes bras comme une gamine de trois ans. Quel désastre !

Bon ! Manifestement, il venait juste d'apprendre le moyen de locomotion préféré de la petite et il ne l'approuvait pas, mais ce n'était pas une raison pour la tuer.

En consolant Émilie, dont le maquillage noir me maculait le t-shirt, je pris deux décisions : la première était de quitter ces lieux avant de me retrouver avec des dommages psychologiques permanents, et la deuxième, de cacher ces enfants à l'abri chez leurs parents biologiques respectifs en m'occupant d'abord d'Émilie.

Si j'avais été moins empêtrée dans mes a priori, je me serais peut-être rendu compte de mon erreur grossière, ou peut-être pas. C'est toujours facile d'analyser une course à obstacles après coup et d'expliquer où l'on n'aurait pas dû mettre les pieds…

Dès qu'Émilie se fut calmée, elle insista pour aller travailler quand même. Elle n'était absolument pas en état de le faire. C'était indéniable : sa joue gauche affichait une rougeur marquée, je devinais un œil au beurre noir naissant, elle était coiffée sur l'occipital d'une bosse de quelques millimètres, et plusieurs doigts commençaient à bleuir. Mais quitter l'appartement n'était pas une mauvaise idée en soi. Comme il n'était pas question qu'elle se rende au boulot seule et encore moins sur le pouce (si je ne cautionnais pas sa méthode pour démontrer sa désapprobation, je dois dire que j'étais d'accord avec son père sur le fond, à savoir que c'était une manière suicidaire de voyager), je décidai de la reconduire moi-même au restaurant et de la convaincre de se prendre en main. Le chemin de presque une heure nous donnerait le temps de parler et de discuter d'un plan de match.

Alexandre promit de lâcher du lest sur ses versets et d'aider Matantuguette du mieux qu'il pouvait à gérer la crise dans la cabane pour les prochaines heures. Émilie se rafraîchit le visage dans l'évier de la cuisine. La salle de bain du premier était momentanément inaccessible, car on entendait Robert y vomir toutes ses entrailles et probablement quelques organes avec. Je n'eus aucune pitié pour lui, ce type était un malade.

13. Autoroute n° 2

Encore une fois, j'allais conduire ce danger sur roues qu'était leur camionnette familiale. Je m'emparai des clés accrochées à l'entrée. Émilie s'assit à l'avant comme une martyre que l'on mène aux jeux de l'arène, et on prit la route.

Malgré toutes mes tentatives de conversation pendant le trajet, excepté un « pauvre papa » qui sortait de temps à autre, elle était fermée comme un compte de banque suisse et je ne trouvai pas la combinaison pour la faire parler. C'était insensé.

On s'est stationnées devant le resto. J'appris que la propriétaire était une autre « matante ». Il s'agissait d'une personne au tonnage non négligeable, aux cheveux jaunes permanentés et aux seins mouvants redoutables. Elle nous accueillit avec une brique et un fanal.

Matantuguette nous avait devancées en distribuant les commérages par ce bon vieux téléphone.

Cette énergumène fonça sur Émilie comme un orignal en rut et lui balança tout un chapelet de claques avant que j'aie eu le temps de fermer la portière et de dire ouf.

— T'es timbrée ou quoi? Avec ton background, tu devrais être la dernière à faire du pouce, la dernière! T'es suicidaire? Alors, jette-toi en dessous du pont, crisse, et qu'on en finisse! As-tu pensé à ton père avant de faire une affaire de même? Sais-tu combien il en a ramassé, des têtes de linotte dans ton genre, en plein champ, tout écartillées, violées et étranglées?

Toute ma vie, je me demanderai pourquoi ça n'a pas hurlé « ting » dans ma caboche à ce moment précis. Par quel stupéfiant miracle je n'ai pas additionné deux plus deux et complété l'équation dont on venait de me garrocher la solution au visage. Certainement parce qu'en même temps je voyais cette méduse extra-large en train de fesser Émilie, et que cette même chose s'élançait vers moi en vrille comme une torpille folle.

— Et Robert, vous l'avez pas laissé tout seul, au moins? J'espère que Joanna est avec lui!

Et la créature s'approcha de moi. On aurait pu croire que c'était pour me sentir avant de songer à me déchiqueter. Elle me détailla comme un sergent et aperçut mes bleus aux bras. J'eus la désagréable sensation qu'elle déduisit au quart de seconde près les quarante-huit dernières pitoyables heures de mon existence en dérive. Elle explosa.

— Vous êtes complètement inconscientes, toutes les deux!

Émilie répondit faiblement que Matantuguette était là.

— Comme si elle pouvait le convaincre de quoi que ce soit !

Émilie ouvrit la bouche dans un « O » spectaculaire de poisson rouge coincé dans un verre d'eau pour donner une autre excuse potable.

— Viens pas me dire qu'Alexandre est là aussi, parce que, là, je vais vraiment avoir l'impression que tu me prends pour une imbécile ! Depuis qu'il passe son temps à rêver à ses soixante-dix vierges, il sert pus à rien !

Sur ce, elle l'envoya aux cuisines et me montra du doigt, intimidante. J'en eus un motton de salive impossible à déglutir en travers de la gorge. J'étais comme une gamine qui venait d'être découverte à siphonner le calice de la sacristie et qui était sommée par le curé de visiter au plus sacrant le confessionnal pour se faire pardonner.

— Toi, la nouvelle cocotte, tu retournes vite à' maison avant qu'il fasse des niaiseries graves.

Elle n'avait pas à s'inquiéter, je n'avais nullement l'intention de coller dans les parages. J'allai brièvement aux cuisines pour m'assurer qu'Émilie n'était pas encore plus mal foutue au travail qu'au foyer. J'eus la surprise de la voir en train de mettre son tablier avec ce qui semblait presque un sourire.

La proprio revint vers moi, manifestement pacifiée par ma sollicitude évidente envers Émilie. Elle me donna une grande claque dans le dos.

— Fais-toi-z'en pas, on va en prendre bien soin de la poulette. Maintenant, tu scrames avant que l'autre coco se gèle à mort et tu checkes que mes jumeaux fassent pas d'idioties pendant ce temps-là.

Je démarrai sans tarder. Cette dernière recommandation m'avait sciée en deux. Que ce monstre soit la mère des délicats gamins me paraissait incroyable.

Tout le chemin du retour, je ruminai cette rencontre. Je remarquai à peine que, pour la première fois depuis des lustres, je roulais sur mon autoroute habituelle sans lire les pancartes.

Je décidai de m'arrêter dans un dépanneur pour donner des nouvelles à Catherine. Comme j'étais une exécrable menteuse, je préférai suivre autant que possible le fil du réel pour éviter d'inventer de toutes pièces un conte abracadabrant duquel je risquais de perdre la sortie. Que j'en sois arrivée à l'appeler d'une cabine téléphonique au milieu de nulle part attestait de l'état d'esprit paranoïaque que je commençais à entretenir. Je bénis les cieux de tomber sur ma propre voix enregistrée. Catherine devait être en train de me chercher ailleurs.

Finalement, une fois à la maison, je demandai directement à Alexandre ce qui me taraudait. Ça démontrait un intérêt pour la genèse de la parenté que je ne voulais pas nécessairement révéler, mais au moins j'eus la réponse : l'énergumène était la demi-sœur de Robert et l'ex du mononcle qui fournissait de l'équipement électronique aux numéros de série limés. Les jumeaux étaient venus passer les vacances un été et ils n'étaient simplement jamais repartis.

Moi qui avais toujours pensé que ma cellule familiale était hors norme, je commençais à m'apercevoir que nous composions une couvée plutôt conventionnelle et arriérée comparativement à eux autres.

Je m'occupai le reste de l'après-midi à l'étage du bas. Nous laissâmes Robert en haut avec ses bibittes. Je savais qu'il était plus ou moins sur pied, car on l'entendait marcher pour aller vomir de temps à autre.

Tous s'installèrent devant la télévision sans vraiment s'y intéresser. Matantuguette m'apparaissait être un général trop complaisant qui supervisait juste assez ses troupes pour éviter qu'elles s'entretuent.

Les malheurs de son fils semblaient avoir donné une vigueur renouvelée à la vieille grand-mère. Elle en nourrissait un réconfort étrangement peu à propos en répétant en boucle qu'elle avait toujours eu raison : son fiston était un bon à rien. Cela en plus des usuels larmoiements pitoyables sur sa personne que tous avaient l'habitude d'ignorer. Cette fois-ci, ses pleurnichages étaient tolérés avec une impatience à peine contenue.

Finalement, je pris mon courage à deux mains et m'installai le plus discrètement possible devant la bécane informatique qui trônait sagement dans un coin du salon pour faire des recherches sérieuses. Tous les enfants avaient leurs reproducteurs respectifs répondant à l'appel. Alexandre m'avait confié que sa mère était une ex qui se manifestait de temps en temps entre deux chums. Son père était parti travailler dans les mines au nord. Tous avaient des géniteurs consentis, sauf Émilie.

Émilie, le grand mystère, qui faisait de l'alzheimer sélectif entre zéro et dix-huit ans. Émilie, qui n'avait pas été au collège, qui passait son temps cachée au fond d'un lave-vaisselle industriel de restaurant et qui n'avait pas de carte d'assurance maladie. Je voyais sa tête pâle, triste arlequin à qui l'on avait oublié de donner un menton, le visage auréolé de cheveux teints noir chaussure. Émilie, sur qui tout le monde avait tapé aujourd'hui.

Je réfléchis : elle m'avait dit qu'elle avait emménagé chez son père à dix-huit ans, qu'elle en avait maintenant vingt-trois. Je perdis du temps à investiguer avec son nom et son année de naissance. Puis je relus des journaux de l'époque. Et j'eus une inspiration. En farfouillant, je tombai sur un site privé spécialisé, géré par des parents qui, déçus du peu d'empressement de la police à les aider, cherchaient toujours leurs enfants enlevés ou disparus. Lorsque je furetai sur la page de l'année où Émilie était apparue à cette adresse cinq ans auparavant, j'eus un choc, même si je m'étais préparée au pire. S'imposait au milieu de l'écran ce que j'espérais ne jamais découvrir. Me narguant presque, j'avais devant moi une caricature d'elle en blond, une image vieillie par informatique, ridicule, avec un menton en plus, mais c'était bien Émilie. Elle s'appelait en fait Carole Chouinard et avait dix-sept ans, et non pas vingt-trois. Sa famille la cherchait toujours.

Je fis quelques farfouillages supplémentaires en tremblant, sortis quelques copies sur papier avec l'imprimante vétuste et les fourrai dans ma poche. Puis j'effaçai tout l'historique et j'éteignis la machine.

Je ne savais que penser. J'étais tétanisée. Dans quel guêpier avais-je mis les pieds ?

Pendant ce temps, Matantuguette s'était chargée du souper : hot-dogs et frites congelées cuites mollement au four. Tous avaient migré autour de la table. Je m'assis avec eux. J'avais des vertiges alarmants. Je filais vraiment un mauvais coton. Pourquoi ne m'étais-je pas sauvée quand j'en avais encore la chance ?

Après le repas, Matantuguette retourna chez elle. Elle me fit promettre de veiller sur Robert. Elle se comportait comme si c'était un petit chiot fragile au lieu du gros pitbull qu'il était. Manifestement, elle voulait aller voir en haut, mais, pour elle, c'était l'Everest. La journée avait été trop éprouvante pour une si vieille dame. Des larmes perlaient dans les rides de ses paupières tombantes, et son visage gras tremblotait d'inquiétude. Pour la rassurer, je lui promis de monter à la minute même. Elle sortit, elle aussi par-derrière (la porte principale ne servait-elle donc jamais ?) pour faire les quelques pas qui la séparaient de sa maison.

Je m'empressai de mettre les jeunes au lit dès que je pus, non sans avoir vérifié que la plaie d'Anne ne suintait pas et lui avoir lu une histoire. J'entendais bouger en haut ; il n'était pas mort, au moins. Ça, ça aurait été le bouquet final de cette mautadite journée. Alexandre aida sa grand-mère à se coucher. La vieille n'était pas plaisante, mais elle avait appris, dans un ultime instinct de survie, à ne pas déplacer plus d'air que le seuil de tolérance général. Il retourna consulter Allah ou Dieu sait qui dans son coin.

Les jumeaux furent étonnamment faciles à mettre au lit. Une fois sur rails, rien ne les arrêta : ils se brossèrent les dents, vingt-sept coups de brosse exactement chacun. Ils enfilèrent religieusement un pyjama, dont chacun possédait un exemplaire en tous points conforme à celui de l'autre, et ce, malgré le fait que Sébastien eût sali le sien avec de la mélasse au déjeuner. Il apparaissait de plus en plus évident que les deux garçons s'encourageaient mutuellement dans leurs bibittes, c'étaient eux qui tenaient mordicus à être habillés toujours de façon identique. J'essayai de convaincre Sébastien de mettre un autre t-shirt. J'arguai que, s'ils y tenaient tant que ça, ils pouvaient tous les deux mettre le même. Mal m'en prit. Ces merveilleux angelots se transformèrent en cyclones hystériques. Il fallait que ça soit ce pyjama-là, point. Alexandre arriva en courant derrière eux et me fit de grands signes m'indiquant qu'il valait mieux ne pas insister. Ouf. OK, on dormirait donc barbouillé de mélasse ce soir-là. Je bénis le ciel que quelqu'un ait pensé à leur faire porter des lunettes différentes, au moins. Il fallait bien commencer quelque part à séparer ces deux moineaux.

Exceptionnellement, j'ai étendu les trois enfants dans la chambre d'Émilie, transformée en dortoir. Anne dormait dans le lit, et les deux autres, directement sur le plancher dans des sacs de couchage trouvés à la cave. Il n'était pas question que j'installe cette flopée à l'étage avec la bête qui s'y promenait. J'étais stupéfaite de voir à quel point ces enfants étaient faciles à coucher. J'étais habituée à une bataille rangée avec Pierre-Emmanuel.

C'était encore plus curieux de constater qu'ils se chamaillaient si peu et vivaient presque en autarcie. Même Alexandre, en pleine crise existentielle, semblait trouver son réconfort dans le cercle familial. J'avais le goût de lui donner un coup de pied au cul et une paire de claques pour qu'il se réveille.

Je m'assis sur le sofa bancal pour attendre qu'Émilie revienne de son quart de travail. Moi qui étais habituée au vide, il y avait là des traîneries partout : des jouets, des poupées, des camions, des journaux, des magazines de tricot, des verres, des cendriers. Chaque habitant de la maison, et même la voisine, semblait être déterminé à laisser sa trace dans ce salon encombré. Curieusement, ce soir-là, toutes ces bébelles autour me réconfortaient sans que je puisse m'expliquer pourquoi.

Émilie arriva vers minuit, en voiture avec le cuisinier, comme il se doit. J'ouvris la porte et j'essayai de lui parler ; rien à faire. La seule chose qu'elle me dit fut : « Je vais bien. T'en fais pas. Tout est OK. S'il te plaît, va te coucher. »

Elle alla prendre sa place à côté d'Anne sur le matelas. Elle semblait perplexe que je m'inquiète pour elle. Les trois enfants dormant profondément, je m'assis au bord du lit. Je devais avoir l'air encore plus mal en point que je le pensais, puisque c'est elle qui entreprit de me consoler. Je n'osai pas la questionner sur ce que j'avais trouvé, elle n'était manifestement pas prisonnière et faisait davantage office de mère miséricordieuse, ce soir-là, que de victime. Elle s'empara de mes deux mains et me chuchota dans le noir des paroles pour me rassurer : elle était correcte. Matantelucie lui avait passé un savon et lui avait fait réaliser à quel point elle avait pris des risques, à quel point c'était injuste pour les autres, qui s'inquiétaient, et qu'elle ne pouvait pas faire abstraction des conséquences de ses actions sur ses frères, sa sœur et son père. On pouvait presque entendre des violons. Elle me fit jurer d'aller plutôt sur-le-champ m'informer du bien-être du paternel. Elle voulait juste dormir, maintenant.

Misère.

J'avais fait x fois ce satané serment à tout l'entourage femelle qui gravitait autour de Robert au cours de cette saudite journée. Mis à part sa mère, qui semblait la seule à ne pas voir son fiston comme une victime, toutes se préoccupaient beaucoup trop de lui et pas du tout des dommages collatéraux que ses folies avaient causés. Mais voilà, la même promesse de prendre soin de Robert, à maintes occasions déclarée et toujours non tenue, commençait à me remplir de malaise. Il était plus que temps que je m'acquitte de mes engagements.

14. Nue

Juste avant de monter, j'eus un affreux doute. Le sort des enfants réglé, les engrenages de mon cerveau purent s'enclencher dans une autre direction. Mon imagination s'emballa.

Il ne pouvait quand même pas !

Je courus à la salle de bain. Il avait fait sauter le cadenas de l'armoire et vidé les médicaments de la réserve.

Oui.

Il avait pu.

On allait faire quoi, le lendemain, pour soulager la vieille chipie ?

Je grimpai avec un empressement périlleux le colimaçon. Il régnait un silence total à l'étage, toutes les pièces étaient éclairées comme si l'on était en début de soirée. La salle de bain était un désastre, du vomi et de la bile dégoulinaient partout, un verre brisé, des éclats de vitre et du sang dans le lavabo et sur le miroir.

J'étais catastrophée par la faiblesse du mec Homo sapiens : a-t-on idée de sauter sa coche aussi exagérément et de s'enfoncer dans une telle débâcle ? Je me souvins de ma grand-mère qui disait que les hommes ne font que des niaiseries s'ils n'ont pas une femme pour tenir la barre. Comme mon propre père avait pris ses cliques et ses claques quand j'étais encore aux couches, j'avais eu peu d'exemples à portée de main pour confirmer les théories de mon aïeule. Il semblait que j'étais en train de me taper presque quarante ans de rattrapage en deux jours. C'était vraiment une grosse fourchetée à ingurgiter d'un seul coup.

Il était hors de question que j'envisage le repos avec une pièce aussi insalubre dans les parages. J'allai m'assurer que la bête était toujours vive. De la porte fermée, ronflements et marmonnements m'assurèrent qu'il dormait ; du sommeil de l'indigne sûrement, mais il dormait.

Je m'emparai d'un grand sac-poubelle et je fis un monumental ménage par le vide : les trois quarts du bric-à-brac de la salle de bain se retrouvèrent dans le conteneur à déchets avant une heure du matin. Puis je nettoyai absolument toutes les surfaces visibles avec un mélange de poudre à récurer et d'eau de Javel. Je fourrai le reste de mes vêtements dans un second sac vert avant de me laver exhaustivement. Je dus prendre sur moi pour ne pas me frotter avec une débarbouillette rêche et mon cocktail de détergent impromptu au lieu du savon en barre. J'avais l'impression que si je pouvais éliminer une couche de derme, je me sentirais mieux.

Finalement, quand je sortis de la douche, je n'avais plus rien à me mettre, tout était à la poubelle. Je me retrouvai propre comme un sou neuf, mais flambant nue. À cet étage, hormis des vêtements pour enfants de quatre et onze ans, il n'y avait rien, tout le reste se trouvait dans l'antre de l'animal.

Normalement, j'aurais dû être mortifiée d'apparaître le minou à l'air, mes rondeurs en démonstration. Même mon épouse ne m'avait pas contemplée de pied en cap depuis des lustres. Toutefois, comme tout décorum élémentaire avait fichu le camp dans la poubelle, la honte avait suivi. Ne restait que l'exaspération.

Je me contrecrissai vraiment de tout et je déambulai nue dans le corridor.

Je poussai la porte de la chambre d'un mouvement ample et brusque. La fenêtre était ouverte, par bonheur, sinon j'aurais sûrement eu besoin d'un masque à gaz.

Par terre, il y avait une flasque de gin vide et deux flacons de plastique, que j'étudiai avec plus d'attention : un dérivé de morphine. Elle devait vraiment être au plus mal, la maternelle, pour qu'on lui prescrive une telle potion magique. Je réalisai qu'il était encore heureux que je n'aie pas trouvé Robert en arrêt respiratoire. Je l'écoutai. Il inhalait et exhalait avec une facilité enrageante étant donné les circonstances.

Je restai assise au bord du lit, à réfléchir sur ma vie, mon amoncellement de rondeurs éclairées par le lampadaire jaune et caressées par la brise nocturne qui circulait librement. J'avais l'impression d'être sur un radeau, d'avoir quitté le navire principal et d'être tellement engluée dans l'épouvante que je n'arrivais plus à me concentrer sur les options possibles. Si ma cervelle pouvait me dire qui j'étais à ce moment, mon cœur et mon âme peinaient pour s'en souvenir.

Je plissai les paupières pour imaginer un instant le portrait de mon fils et de ma femme, leurs traits, leurs cheveux blonds, le bleu de leurs yeux. Ils étaient comme des lilliputiens dans ma conscience, et notre demeure, dans un coin de mon esprit, tenait de la maison de poupées en carton sur un tapis de gazon vert fluo en polyester.

Je perdais pied. Ma substance, ma vie réelle hors de ces murs s'étiolait jusqu'à n'être qu'un simple théâtre de papier en deux dimensions, alors que le cauchemar où j'étais enlisée gagnait en densité et s'approchait d'une tangible existence non seulement possible, mais inéluctable.

Je demeurai une demi-heure de plus immobile à essayer de prendre une décision raisonnable sur ce qu'il me restait à faire. Je cogitais à côté d'un gars lamentable, échoué, et dont, sans nul doute, le sommeil était peuplé de créatures miteuses. Un type qui était assez déficient pour avoir sifflé, dans la plus pitoyable déchéance, la prescription de sa mère malade. Est-ce que j'avais vraiment envie d'être là ? Rien ne m'empêchait de filer à l'anglaise à la minute, d'appeler un taxi ou d'alerter ma contrôlante tendre moitié et de quitter ce rafiot.

Regrettablement, les bonnes décisions n'avaient jamais été un de mes points forts, y compris lorsque je me trouvais à la croisée des chemins.

Et puis il y avait ce que je devais faire, ce que je désirais faire et ce que mes tripes voulaient faire.

Les tripes, le côlon : ces boyaux qui brassent de la merde pour en faire des rouleaux plus faciles à excréter sans trop se salir.

15. Dodo nº 3

Finalement, comme une mouche intoxiquée qui ne peut plus voler droit à cause de l'odeur d'excréments trop tentante et qui ne peut s'empêcher de s'asseoir sur un tas de merde trop en évidence, je finis par m'allonger à côté de Robert. Je m'appuyai le nez sur son dos, ce qui accéléra l'anesthésie de l'ensemble de mes fonctions vitales et surtout celles liées à la jugeote. Par quel miracle pouvais-je considérer qu'un gars qui avait englouti du gin et des fonds de pharmacie toute la soirée puisse sentir bon ? Je tolérais à peine quand Catherine avait bu quelques bières.

Au milieu de la nuit, il me réveilla. Comme on pouvait s'y attendre, après les vomissements et l'ingurgitation des dérivés de morphine, il ne s'agissait pas d'une séance de divertissement, mais d'une vérification minute. En mâle qu'il était, il voulait être certain que l'équipement demeurait opérationnel, un peu comme un pinceau magané qu'on trempe dans un vieux pot de peinture pour mélanger ce qui reste dans le fond. Le tout, histoire de s'assurer que le couvercle n'est pas collé et qu'il se trouve encore assez de liquide pour arriver à quelque chose. Malgré l'intervention expéditive, je fus un peu agacée de constater que l'embouchure s'était ouverte au maximum de sa capacité sans effort particulier ainsi que de la quantité non négligeable de fluide disponible. Ma seule consolation : il était trop mal en point pour songer à être malhabile. Cela réduisit les dommages collatéraux sur mes bras et mes cuisses.

Je m'enfonçais de plus en plus.

Je ne m'enfonçais pas dans quelque chose de beau, ni de soutenable à long terme. Je le savais trop bien. J'avais l'impression d'avoir passé toute mon existence à clopiner maladroitement sur des talons aiguilles sexy qui me seyaient pourtant comme un gant. Et voilà que je venais de découvrir une paire de vieux sneakers moisis et troués dans un fond de cave et que je n'avais plus la volonté nécessaire de les enlever après les avoir stupidement enfilés. Mais je savais qu'à la vérité, mon lot, c'était de rechausser mes escarpins et de me remettre à marcher dans la bonne direction. Je devais reprendre le cap en étant moins nulle cette fois-ci. Passer mon existence dans des chaussures usées et puantes, même si elles étaient plus douces aux pieds, c'était hors de question.

Il s'était rendormi. C'était vrai, finalement, qu'il tenait plus du chiot que du pitbull. Comme un égaré qui cherche la sécurité, il avait empoigné un énorme paquet de mes cheveux frisés. Ça tirait un peu, je n'osais bouger. De l'autre main, il me serrait l'index et le majeur, comme un nouveau-né qui s'agrippe à n'importe quelle protubérance cylindrique pour trouver la paix.

Quel imbécile !

Comment pouvait-on aussi mal choisir et, seul au milieu de l'océan démonté, prendre un minable canard de plastique jaune comme moi pour bouée ?

Il ne pouvait le savoir. J'étais une personne qui allait là où la portaient les vagues, et ce n'était pas nécessairement vers le port.

16. Décision

On était le jour de la fête nationale, la journée promettait d'être interminable. Quand Robert sortit de sa torpeur, j'attendais assise sur une chaise droite à côté du lit. J'étais allée dénicher le seul t-shirt d'Émilie qui n'affichait pas de références osseuses et des shorts trop larges qui me couvraient jusqu'à la mi-cuisse. Je tentai malgré cet accoutrement de plaquer sur ma face le masque de chef de bureau d'une grande compagnie, ce que j'étais normalement dans la vraie vie. Il faut croire que c'est l'habit qui fait le moine, car cela n'eut aucun effet lorsqu'il ouvrit les yeux. Je n'étais que moi, le cul sur une chaise, amanchée comme la chienne à Jacques.

Avant que Robert ait pu piper mot, je m'élançai dans un discours-fleuve : je partais, j'avais un mari jaloux qui m'attendait, un fils. Moi aussi, j'avais une vie à survivre. Je lui balançai que la rencontre avec sa famille m'avait fait autant de bien que de recevoir un piano sur la fiole et que j'en avais plein mon truck.

Je ne m'attendais pas du tout à ce qu'il me contredise ou qu'il essaye de me convaincre de rester. Que je sois ici ou ailleurs, j'avais l'impression que ça ne lui faisait pas un pli. Toute cette diatribe m'avait en réalité été adressée pour me persuader moi-même que c'était là la bonne décision.

Il me prit entièrement au dépourvu avec une technique diabolique : la vérité. La vérité toute crue, sans aucun décorum, balancée direct en plein plexus : oui, on avait eu une fin de semaine traumatisante, oui, les enfants étaient grandement perturbés, oui, il avait pété les plombs, mais j'avais été le roc sur lequel ils avaient tous pu s'appuyer pendant la crise. Ne pourrais-je pas les accompagner encore une journée, en ce jour de fête ?

Il sut faire preuve d'une persuasion drôlement efficace, à laquelle je ne m'étais pas préparée. J'étais déstabilisée. Même Catherine, qui n'hésitait pourtant pas à puiser dans le chantage affectif de temps à autre, n'avait jamais pu m'influencer à ce point.

Je me laissai convaincre, restant ainsi fidèle à mon caractère mou. L'évidence est que je n'étais pas prête à affronter ma femme. Plus j'attendais, pire ce serait. J'ignorais où ce meltdown familial m'entraînerait. Déjà, je doutais d'être en mesure de travailler le lendemain, un petit souci au vu de tous les autres. Le plus grave, c'était la raison sous-jacente pour laquelle je ne pourrais pas aller au bureau : la vie réelle s'éloignait de plus en plus de mon univers conscient. Je commençai à songer que je m'étais peut-être égarée de mon quotidien pour de bon.

On est allés déjeuner, question de manger au lieu de penser.

Robert tenait à peine debout. Je l'ai suivi, qui se traînait, risquant de débouler le colimaçon d'une marche à l'autre.

Sans surprise, Matantuguette était au poste dans la cuisine du bas. C'était clair maintenant qu'elle avait une fonction de baume et bandages sur les crises familiales. J'eus tout à coup l'affreuse impression qu'elle en était à soigner la deuxième génération.

Tous les enfants étaient occupés à croquer leurs céréales multicolores et à faire des blagues naïves avec une joie forcée, seule indication que les événements de la veille avaient bien eu lieu. Ils étaient admirables. Je soupçonnais qu'ils étaient surentraînés à ignorer les problèmes, à les cacher sous un tapis. Les grands retours en arrière n'avaient manifestement pas cours dans cette maison.

C'était finalement peut-être la meilleure technique. On se traite avec des montagnes de sucre et des farces plates, puis on oublie. Cela a bien marché pour nos ancêtres pendant quatre cents ans.

Je m'assis devant un bol dans lequel je versai une pyramide d'anneaux mauves et verts et une bonne rasade de lait. Robert m'imita avec un petit sourire. Un des jumeaux lui demanda s'il avait mal à la tête. Il lui répondit que oui, bien sûr, il avait été idiot et méritait un mal de bloc carabiné. Tout ça avec un enjouement si artificiel que j'en grinçai des dents. Cela remplit toutefois d'aise tous les enfants présents. Pour eux, on était de retour avec tous les signaux de la normalité : les adultes se montraient de bonne humeur, donc tout allait bien.

Je demandai à Émilie si la grand-mère était souffrante. Non, Matantuguette avait eu de quoi la remonter jusqu'au soir. On me fit comprendre que de toute façon elle se plaignait tout le temps, pétée ou non.

Le reste du déjeuner se passa avec entrain. Il est étonnant de constater à quel point prétendre être heureux, surtout quand les enfants s'y attellent avec application, nous rapproche du bonheur. Matantuguette, jugeant que tout était « sous contrôle », nous quitta après le repas. La vieille dame était visiblement épuisée. Les trois plus jeunes partirent jouer dans la ruelle. Émilie, elle, s'installa sur la galerie pour lire. Elle n'était pas analphabète, c'était déjà ça. Alexandre alla chez son ami Shaban, non sans recevoir des mises en garde du paternel sur son « mangeur de couscous ».

— Il est pakistanais, papa, y mange pas de couscous.

Robert retourna se coucher, tenant à peine à la verticale. Il ne me restait qu'à raser les murs et à me poser des questions. Est-ce que je devais alerter les autorités ? La police ? La Protection de la jeunesse ? Tous ces enfants rejetés ne seraient-ils pas mieux dans une banale famille d'accueil ? Et Émilie, que faire d'Émilie ? Je ne voulais quand même pas que mon hôte finisse menottes aux mains et fers aux pieds.

Je passai trois bonnes heures à fixer le mur, incapable de prendre une décision.

Je choisis plutôt de préparer le repas du midi. Tout ce qu'il y avait pour se sustenter dans cette cuisine était soit à haute teneur en nitrates, soit en conserve, soit déshydraté, soit congelé. J'optai pour des grilled cheese à la margarine et aux tranches de fromage orange. Un délice, faut croire, vu l'accueil que reçut mon plat à l'arrivée des enfants après leurs jeux.

Après le dîner, les trois plus jeunes réussirent à convaincre Émilie de les accompagner au parc voisin, qui était limite sans sa supervision d'ado.

Robert roupillait à l'étage, sa mère ronflait en bas. Il semble que le médicament de remplacement la faisait dormir encore plus que d'habitude. Alexandre était toujours chez son ami. J'étais seule.

J'étais seule et je devais me trouver une issue.

Fait rare, je pris deux décisions.

Moi qui n'en prenais pratiquement jamais.

J'utilisai le téléphone fixe pour faire deux appels.

Ce furent les deux décisions les plus sans-dessein de toute ma vie.

17. Fête

Tant qu'à avoir laissé tomber toute convenance et se retrouver le nez écrasé au fond du baril de gros fort à licher de la bagosse comme un robineux, aussi bien y aller sans retenue. Je n'avais sûrement jamais été si mal habillée, même l'utérus à découvert sur un lit d'hôpital, qu'à ce moment-là, avec ces shorts sport de nylon trop grands et une anthologie de quétainerie en coton avec applique heavy métal sur le dos.

J'avais donc la tête dans un sac de chips au vinaigre, buvant à même le goulot un Coke tablette que n'aurait pas renié feu mon grand-oncle : le menu « camion de livraison 1930 », quoi. J'admirai le fond de la cour et la ruelle, me balançant avec une vigueur que mon aïeul n'aurait pas désavouée non plus, évachée dans une chaise berçante pliante qui craquait conjointement avec le plancher de la vieille galerie.

Robert réapparut. Il avait fait un grand effort de mise en place : ses cheveux étaient lavés, encore collés au crâne, sa barbe plus ou moins maîtrisée, et il portait des vêtements décents qui ne sentaient rien.

On aurait cru qu'une main divine venait d'intervertir nos positions sur l'échiquier de la vie. C'était moi maintenant qui avais l'air d'une assistée sociale et lui qui était bien mis.

Il ne sembla pas s'en formaliser, ni même noter une quelconque dégénérescence chez moi. Pour tout le monde dans cette maison, voir quelqu'un se limitait aux quelques centimètres du visage ; qu'on soit enrobé de soie ou en flanelle à carreaux n'avait aucune importance. Un élan d'affection soudain me fit lui offrir une bouteille. Cola tiède en main, il ouvrit d'un geste vif une autre chaise de son côté.

Nous étions tous les deux comme des pantins muets face à face et je ne savais pas comment entamer une conversation. Il était hors de question qu'on se berce sans rien dire. Je ne fais pas partie de cette tranche de l'humanité qui juge le silence relaxant. Le silence, c'est quand on est trop con pour parler, c'est quand on n'a rien à se dire ou qu'on n'est pas fichu de se trouver un auditeur décent avec qui partager nos pensées. Le silence, c'est surtout être absolument seul même si l'on est deux. Ultimement, le silence, c'est la mort.

C'est lui qui nous sauva du néant en me demandant comment était mon travail. Je pris la balle au bond avec reconnaissance, soulagée que l'ouverture des pourparlers ne se soit pas entamée vers des considérations météorologiques. Je me lançai à fond de train dans un monologue pour meubler l'espace sonore, décrivant à peu près toute ma vie de huit à cinq. Autrement dit, pas grand-chose de très palpitant. Imperceptiblement, mon soliloque se mua en interrogatoire, puis se convertit en conversation banale, inoffensive. Il commença ensuite à être plus sérieux et à parler de son travail à lui.

J'en appris plus que j'en demandais sur son fameux bar. Il était copropriétaire avec son ex-beau-frère. Je crus comprendre qu'ils en étaient contrariés, mais qu'ils devaient tolérer la petite pègre et les dealers miteux à condition qu'ils n'utilisent pas les lieux comme leur succursale. Ils n'avaient pas le choix, vu le quartier. Le problème avec une clientèle pareille, c'est qu'il fallait des employés avec un profil particulier pas facile à trouver. Ils en avaient un, en ce moment, qui n'avait pas froid aux yeux, fameux pour prévenir les débordements louches autour des tables, mais qui n'hésitait pas à s'offrir quelques primes copieuses à même la caisse de temps à autre.

On s'approchait dangereusement d'un dialogue quand les enfants revinrent du parc. Alexandre les avait rejoints, à la traîne, en lisant son sacro-saint évangile musulman même en marchant. Ils nous interrompirent à l'instant embarrassant où l'on avait presque l'air de s'entendre.

Tout le début de la soirée se passa dans cette zone verte où chacun essayait d'être le plus gentil possible pour éviter le moindre heurt. La petite Anne était la moins subtile à ce jeu et prenait un plaisir certain à singer une grande personne raisonnée.

On se fit livrer de la pizza all dressed. J'insistai pour payer. J'éprouvai un sentiment curieusement ambivalent en donnant l'argent. La dernière fois où je m'étais tenue devant un livreur avec des boîtes de pizza, c'était à mon logement de jeunesse, avec ma mère. Ce n'était pas si loin d'où je me trouvais à ce moment-là, en fait. Il y avait des lustres que je n'avais pas pensé à elle ainsi, avec un beau souvenir.

Je revins à la cuisine avec les cartons empilés, événement salué avec enthousiasme, ce qui détourna heureusement l'attention de mes yeux mouillés. On mit une nappe à carreaux rouge. Les jumeaux tout excités sortirent d'une armoire des verres en plastique et des assiettes jetables en styromousse avec leurs serviettes de papier assorties. C'était le kit qu'on utilisait les soirs de fête.

La pizza fut engloutie en vitesse comme si leur vie en dépendait. Le tout arrosé d'une généreuse rasade de cola. Je me demandais comment ça se faisait que ces enfants n'avaient pas tous le teint vert. En plus, après ce souper, il semble que l'incontournable était la visite au marchand de « crème à glace ». Ils n'auraient pas pu manger une pomme à la place ? Je le proposai et ils me trouvèrent tous très rigolote, comme si je venais de lancer la blague du siècle. Il était clair que, pour les gamins, cette soirée malbouffe était perçue comme une sortie dans un étoilé Michelin. Robert me regarda, amusé :

— On est en train de se fabriquer un beau souvenir, là ! As-tu un souvenir d'enfance digne de ce nom qui finit par une pomme ?

Je vis cinq paires d'yeux inquiets qui attendaient ma réponse. Cela me toucha énormément. Mon assentiment apparaissait comme un ingrédient important à la recette de cette fête. Bien sûr, je répondis que non, tout le monde savait que les souvenirs ne s'inventaient pas avec des aliments bons pour la santé, mais avec des pizzas et des cornets mauvais pour le cœur. Ils rigolèrent comme des fous. Jamais je n'avais eu l'impression d'avoir été si spirituelle.

J'essayai d'imaginer une escapade pareille en compagnie de mon fils, avec comme point de départ ma capacité à convaincre Catherine de nous laisser manger quelque chose dont l'indice glycémique serait aussi élevé. Émerger de notre cocon résidentiel était déjà une corvée en soi : le dépanneur le plus proche était à quinze minutes d'auto ; le resto, à trente minutes.

On se mit en branle, empruntant la ruelle. La vieille était encore assise à la table. Elle chantonnait en mâchouillant toujours la même pointe de pizza et nous souhaita bonne sortie. Je pris note qu'il faudrait demander à Matantuguette à quel médicament on l'avait assaisonnée.

En marche, j'eus un quasi-regret d'avoir passé tant d'années sereines en exil intérieur. Originellement du bas de la ville, je n'y avais remis que partiellement les pieds depuis que ma mère était décédée d'un poumon grugé par le tabac à mes dix-neuf ans.

Juste à côté de notre troupe, au beau milieu du boulevard, un vieux barbu, complètement imbibé, déambulait en insultant la terre entière d'une voix éraillée. Il s'exposait à tout moment à se faire frapper et écrabouiller, car la circulation était assez dense. Robert entreprit d'aider le malheureux alcoolo en le déplaçant de la rue au trottoir avec un doigté étonnant. J'imagine que c'était pour éviter le spectacle de ce dernier écrapouti devant sa marmaille, ce qui aurait été peu à propos en cette soirée de fête.

À observer les enfants démontrer une saine crainte pour ce vieux fou, mais aussi de l'empathie, je me demandai si, finalement, à ne côtoyer que du beau, normalisé, préfabriqué, de la nature javellisée, on ne risquait pas de perdre de vue que c'est souvent à fréquenter le laid et le grotesque que l'humanité s'exerce le mieux. Robert assit le croulant alcoolique sur un banc d'autobus et lui fourra un cinq dans la main.

Il faisait encore une chaleur caniculaire. Quelques artères plus loin, on arriva au marchand de crème glacée, qui s'affairait derrière son comptoir donnant sur la rue, la fenêtre grande ouverte. Il y avait une ligne d'aficionados qui attendaient leur tour. On se mit en file sagement. Cela laissait le temps aux enfants tout excités de faire leur choix. Les deux jumeaux optèrent exactement pour la même saveur, bien entendu.

Les trois plus jeunes lapèrent avec une lenteur enrageante leur glace molle recouverte de chocolat. Ils semblaient imperméables aux coulées blanches qui ruisselaient le long de leurs coudes pour finir sur leurs vêtements.

Au retour, non sans avoir rincé bras et jambes dans l'abreuvoir du parc voisin, nous discutâmes de leurs jeux de l'après-midi en marchant paresseusement en bordure du trottoir. Beaucoup de passants nous croisèrent avec leurs chaises pliantes à la main ou d'épaisses couvertures en laine pour s'asseoir. Ils déambulaient en sens inverse, réjouis d'aller voir le spectacle en plein air prévu. Le ciel rougissait au loin, l'atmosphère était idéale pour les feux d'artifice à venir. Les enfants implorèrent leur papa de les laisser se joindre à la foule. Il répondit non, c'était trop dangereux pour Anne.

Supplications.

Émilie promit de ne jamais lâcher la main d'Anne.

Alexandre jura qu'il se chargerait des jumeaux.

Finalement, le paternel acquiesça à leur demande.

Alexandre dut confier sa calotte crochetée blanche à son père, qui la fourra dans la poche arrière de son jeans sans respect pour la chose religieuse. Robert avait déclaré l'accessoire comme un aimant à problèmes en ce soir de fête où la tempérance n'était généralement pas de mise et où la fibre nationaliste avait la mèche plus courte que de coutume.

J'eus droit au numéro du papa poule exemplaire. Je n'arrivai pas à saisir si c'était pour mon bénéfice ou celui de sa progéniture, tant il fut exécuté avec brio. Les enfants jouèrent leur rôle de chérubins obéissants, et le père joua le rôle de l'ange gardien inquiet, mais bienveillant. Il leur imposa une liste impressionnante de recommandations avec, pour chacune, une promesse à faire, la paume sur le cœur, comme un sacrement. La photo de famille parfaite, sauf moi, un peu en retrait.

Finalement, le peloton partit dans l'autre direction, main dans la main, vers la foule endiablée. J'eus peur pour eux, cinq flos laissés à eux-mêmes dans une mer de monde qui les avalait. Robert me prit la main.

— Il y a cent ans, des jeunes de l'âge d'Émilie et Alexandre étaient déjà mariés, souvent avec un bébé sur les bras. T'en fais pas, ils vont être prudents.

Je pensai : « Oui, mais il y a cent ans, on perdait aussi un enfant sur quatre en cours de route et on mettait ça sur le dos des voies impénétrables de la Providence. »

C'est vrai que cette nichée reconstituée était curieusement tricotée serrée. Ils étaient probablement tous trop asociaux pour aller voir ailleurs. Ils s'entraidaient comme une couvée de vilains petits canards.

C'est comme ça qu'on se retrouva à deux encore une fois. On avait l'air d'un vieux couple rentrant à la maison. J'ai pensé : un couple imaginé par un Cupidon particulièrement vicieux.

Je demandai à Robert qui s'occupait du bar. C'était une grosse fin de semaine, il devrait sans nul doute être là. Il me confia qu'il avait laissé la barre au second, celui qui en profitait pour se faire quelques ponctions personnelles de temps à autre. Toutefois, elles devraient être somme toute contrôlées à la lumière de la discussion animée qu'ils avaient échangée la journée où nous étions allés à l'hôpital.

Arrivés au bercail, Robert aida sa mère à s'installer dans sa chambre et nous apportâmes les chaises berçantes sur la galerie du haut, espérant mieux voir les feux d'artifice à venir. Nos bières sur une table chambranlante en bois, nous conversions sans prétendre à aucune conclusion précise.

J'eus soudainement une sensation bizarre d'abandon extrême. Je compris finalement ce qui s'était passé en trois jours : comme une actrice interprétant une reine et qui finit par tomber en bas d'une scène trop haute, en un trébuchement spectaculaire, j'avais arrêté d'incarner mon personnage. J'avais effacé moi-même les répliques de la pièce dans laquelle j'étais enfermée depuis des lunes. Le costume de nylon fait pour imiter la soie était oublié dans un coin, le maquillage qui travestissait mes traits, laissé dans le fond de ma sacoche. Ce qui me rendait le plus légère, c'était de ne plus m'astreindre à une gestuelle royale et digne devant le parterre. Je n'avais plus à prétendre. Je n'avais plus besoin d'être belle, ni fine, ni intelligente ou même propre.

18. Boum

Les feux d'artifice débutèrent et je commençai à planer dangereusement.

Les bulles de savon éclatèrent toutes d'un coup quand je fus soudainement projetée par Robert près du mur. On se retrouva accroupis derrière la table.

— Bouge pas, on nous tire dessus.

— Quoi ?

Je crus que j'avais mal entendu. Des pétards festifs gros calibre explosaient jusqu'à faire vibrer les fenêtres. Je me demandai si les excès de dope et de boisson ne lui avaient pas endommagé le cerveau et ne l'avaient pas rendu paranoïaque. Il ne serait pas le premier. Pourtant, si je ne doutais pas un instant que Robert puisse perdre le nord pour sa marmaille, je ne l'imaginais pas perdre les pédales pour si peu qu'un feu d'artifice, même pendant une psychose.

Ce qui me sembla un projectile siffla quelque part au-dessus de nos têtes, abîmant la paroi de brique en un petit jet de poussière. OK. Ce n'était ni une hallucination ni une aliénation : on nous tirait bien dessus.

Je restai recroquevillée, Robert me plaqua fermement contre le plancher. Après quelques minutes, merci à ma souplesse légendaire, je commençai à ne plus sentir mes jambes. Je me demandai même comment je pouvais être aussi mal faite : on tirait sur ma personne et je m'apitoyais sur mes orteils, qui ne recevaient pas assez de sang. Être en petit bonhomme se mua en supplice pire que le peloton.

Heureusement pour moi, le budget de la Ville faisait le sous-marin sous la ligne rouge depuis des années, et ce spectacle à des milliers de dollars la minute ne pouvait que s'achever prestement. Les pétarades cessèrent effectivement après l'apothéose finale, qui me sembla durer quand même une éternité.

Puis notre assaillant déclara :

— Vous grouillez et j'vous tire comme des écureux, OK ?

Une voix d'homme, ça, c'était certain. Chaque syllabe se tamponnait aux autres dans une pénible tentative pour nous effrayer. J'ai toujours cru que si l'on parlait juste une langue et qu'en plus on ne savait pas l'articuler décemment, ça ne démontrait pas une jugeote à tout casser. Il s'approchait.

— B'gez pas, j'ai dit ! S'tie !

J'eus le mauvais pressentiment d'avoir peut-être causé tout ce qui était en train de nous arriver. J'étais encore dans le déni et la pensée magique, en crapaude ankylosée sur la galerie. Je commençais par contre à me rendre compte que le timing de cette agression était de très mauvais augure pour moi.

À travers le grillage de l'escalier, je vis l'homme progresser sans se presser. Il était gigantesque, presque rond, avec une face pleine de trous d'acné, un nez raboteux, un crâne luisant avec de longs cheveux jaunâtres sur le pourtour. Un type magané par la vie, quoi. Il montait le colimaçon très lentement, car être à bout de souffle et nous tenir en joue demandait une certaine synchronisation. Robert jeta un coup d'œil vers moi ; c'était parce que j'étais présente qu'il n'avait pas déjà tenté quelque chose.

Arrivé en haut, notre assaillant se planta devant nous, énorme. Il pointait une longue carabine dans notre direction. Comme je ne connaissais rien aux armes, je n'étais pas en mesure de juger si c'était l'hécatombe qui nous attendait ou juste un trou dans le plancher.

La chose avait tout au plus le potentiel d'une brèche de taille réduite, il faut croire, car Robert se remit debout négligemment.

L'homme annonça :

— J'viens charcher ma fille.

J'eus un haut-le-cœur. Ce que je craignais se réalisait au détail près. Robert me regarda et attribua mon teint gris à l'agression que nous étions en train de subir, puis se retourna pour toiser le sinistre personnage :

— Et de quelle fille on parle ? La fille que t'as pas nourrie et qui s'est retrouvée à l'Hôtel-Dieu ? La même fille que t'as crissée en bas de ton truck pas habillée pour la câlisser au bord de la route toute seule en plein hiver ? Non, tu veux probablement parler de la fille que t'as battue une couple de fois par semaine jusqu'à douze ans et que, même au poste de police, entourée de deux assistantes sociales et de tout le personnel féminin, on n'arrivait pas à contrôler tellement elle était désorganisée ?

Inutile d'ajouter qu'à ce moment-là je me sentis parfaitement innocente, innocente comme coupable d'une monstrueuse, abyssale bêtise. Une connasse naïve prête à donner les clés de la ville à l'ennemi en se croyant dotée d'un mandat supérieur pour rétablir la justice. Ah ! je m'étais félicitée d'avoir été si maligne. En fait, j'avais confié une bombe et un déclencheur à un capoté raide. Je me mis à trembler par vagues soudaines, je n'aurais pu dire si c'était de honte ou de peur.

Il était devant nous, jambes écartées comme dans un mauvais western. Puisque j'étais toujours au ras du sol, en contre-plongée, il me sembla encore plus effrayant. Je ne vis pas sur le coup que c'était une pitoyable larve, un moins que rien armé d'une carabine qui devait être un modèle avancé cent ans plus tôt.

— Où é ma fille ?

— Elle est pas là, elle habite plus ici.

Il pointa son canon sur Robert en visant le sternum. C'est là que je m'étonnai moi-même. Je n'avais jamais vécu rien de pareil dans ma vie, alors, je ne pouvais pas imaginer comment j'allais réagir. Quand je vis ce tuyau de métal braqué sur le thorax de mon Roméo non grata, j'eus un regain de courage peu caractéristique. J'eus presque l'impression d'entendre les roues dentées dans ma boîte crânienne qui tournaient à fond de train pour faire le ménage de mes options. Je ne voulais pas que ce détraqué touche à un poil de mon Émilie. Plutôt crever. Et il fallait agir vite. J'imaginais que les enfants s'étaient mis en route vers la maison dès la fin du spectacle.

Je me relevai et vins me placer à côté des deux mâles qui se toisaient, complétant un triangle. Robert eut instantanément un mouvement de protection et se positionna devant moi, tuant mon héroïsme dans l'œuf.

C'était le mauvais moment, mais je savais que la bonne occasion ne viendrait jamais. Je pris une grande inspiration et me décidai à tenter le tout pour le tout : essayer de faire d'une pierre deux coups en avouant ma trahison, puis m'efforcer d'en éliminer la tragique résultante. Derrière le bouclier de la masse corporelle de Robert, j'entamai des confessions malhabiles.

— C'est moi qui vous ai appelé, je suis désolée, c'était une erreur…

Robert se retourna brusquement et me regarda, exaspéré. Je crois que, dans l'urgence, il ne bénéficia pas d'assez de temps pour me haïr comme il se doit.

— T'es tombée sur la tête ? Qu'est-ce qui t'as pris, tabarnak ?

Sur le coup, je pensai : « C'est curieux, il boit comme un trou, se dope, saute sa coche à tout moment, mais je ne l'avais pas encore entendu sacrer. » Je m'enferrai davantage :

— Elle est sur un site officiel d'enfants disparus, comment est-ce que je pouvais deviner que son père était fou braque ?

Je me tordais les mains, j'avais affreusement honte, j'étais une vendue. Clair et net.

Le type eut un mouvement d'impatience. Le drame dont il s'imaginait être le héros tournait à la querelle d'amoureux de roman-photo. Visiblement, cela ne lui plaisait pas. Il pointa son arme sur nous avec insistance en criant.

— Votre gueule, vous deux !

Robert perdait lentement les pédales, je le constatai avec effarement. Entre la créature dans son lit qui l'avait trahi et le déchet de l'humanité qu'elle avait déterré, il y avait en effet de quoi tester ses limites de tolérance. Je perçus qu'il en avait plein son casque et qu'il était à deux doigts de sauter sur l'individu, même s'il risquait de finir avec une balle entre les deux yeux.

Et c'est là qu'une situation passablement compliquée l'est devenue plus encore. Car j'avais bien fait non pas un, mais deux appels téléphoniques.

Une flèche fila au-dessus de nos têtes pour se planter dans le mur, un missile archaïque, mais diablement efficace. Elle ne blessa personne, mais nous réduisit très proprement tous les trois au silence. Cela venait d'en bas. Je ne savais pas si je devais être soulagée ou juste en chier dans mes culottes.

Je connaissais très bien ces harpons et la personne qui maniait l'arc avec un tel brio. J'avais fait un mauvais calcul. Jamais je n'aurais cru qu'elle pourrait me retrouver si vite : le téléphone était encore au nom de la grand-mère, et des Tremblay, il y en avait quand même un char et une barge.

On était cuits. Elle catapultait ces projectiles avec une redoutable précision. J'avais plusieurs fois eu de la viande dans mon assiette grâce à ces engins.

Je pense que cette dernière péripétie annihila tout instinct de conservation chez Robert. Il s'élança au bord de la galerie pour s'égosiller vers le bas. L'homme à la carabine se grattait la tête, se demandant quoi faire pour nous effrayer suffisamment et pour qu'on tienne en place.

— Catherine, ostie, qu'est-ce que tu viens faire icitte à soir?

Bon, une petite partie de moi, dans un coin de ma satanée tête de linotte, aurait dû faire deux plus deux bien avant. C'était la loi du sixième degré réduite à son minimum pour me narguer. Je me disais que le sort ne pouvait pas faire preuve d'autant de sadisme et s'acharner ainsi sur ma pauvre personne. C'était de ma faute: j'avais tout fait pour ne pas voir les signes, pour ne pas saisir les évidences.

— Et toi, peux-tu me donner une raison pour laquelle je devrais pas t'envoyer une flèche dans le cul? Qu'est-ce que tu fais avec ma femme?

Le lapin sortait du chapeau. Pas un lapin blanc tout mignon qui remue le nez. Non. Le vulgaire toutou d'un magicien raté en fibre synthétique rose, kitsch, avec des patchs de peluche manquante: moi.

Pour un moment, on oublia complètement le type à la carabine. Robert se retourna vers moi, le gars dans le dos comme si c'était une personne sans conséquence.

— Simonac, dis-moi que c'est pas vrai? T'es la femme de Catherine?

Comme je ne pus rien verbaliser, il eut sa réponse. De frustration, au lieu de m'engueuler, il s'appliqua à mettre en quartiers une des chaises pliantes en blasphémant de la manière la plus colorée qu'il m'avait été donné d'entendre. J'avais un peu peur, mais je ne savais plus exactement de qui, ni pourquoi.

Finalement, d'exaspération d'être ignoré, notre assaillant cassa une des bouteilles de bière le long de la grille du balcon, ce qui nous rafraîchit tous d'un coup.

— J'ai aut' chose à faire ! Où é ma fille, stie ?

Catherine décocha une flèche pile au-dessus de la porte.

— Eille, le calleur d'orignal, juste pour que tu te fasses pas des idées, je t'ai pas manqué, je shoote un buck à plus que ça.

Je vis qu'il était passablement hésitant. Sa lecture initiale de la situation avait été que le tireur en bas voulait également nous faire la peau. Il constata qu'il devait peut-être réviser son plan. En fait, s'il avait eu deux sous de bon sens, il aurait pris ses jambes à son cou à ce moment-là, mais je pense que le spécimen humain que l'on avait devant nous était malheureusement du genre incroyablement sous-développé. Il avait assez de matière grise pour plus ou moins imbriquer mille mots et en faire des phrases déficientes, ça, on l'avait remarqué. Par contre, je doutai fortement que ses capacités de synthèse lui permettent de comprendre dans quel filet il venait de s'empêtrer.

Pour être certaine qu'il ait bien saisi ses maigres options, Catherine renchérit :

— Tu bouges pas, mon homme, ou je te tire !

Elle avait une drôle de voix. Je me sentis tout intimidée. Ce n'était pas la femme avec qui je partageais un foyer qui parlait. Je ne l'avais jamais connue comme ça. Elle avait un ton impératif, d'un mécanisme qui me donna des frissons dans le dos. On pouvait y déceler cette inflexion d'autorité qu'instinctivement personne ne veut entendre, celle qui arrête le citoyen pour un stop manqué, celle qui a le pouvoir de le jeter au fond d'une cellule. C'était une voix qui faisait qu'on ne savait plus si l'on devait se sentir protégé ou menacé.

Robert était toujours en beau joual vert. Je pouvais difficilement le lui reprocher, j'avais fait un massacre diplomatique. Du coin de l'œil, je constatai qu'il enregistrait également chaque micromouvement du type.

Mon épouse apparut devant nous, souveraine. Le gaillard pointait maintenant sa carabine dans sa direction. Elle avait son arbalète fétiche, un machin monstrueux avec un viseur de tueur à gages monté dessus. Elle braqua l'arme sur lui.

— Alors, mon coco, tu vas faire quoi ? J'ai une flèche, et toi, ta pétoire à une balle. Au mieux, tu me fais un gros bobo et ces deux-là sautent sur toi.

Il semblait toujours hésiter. Finalement, d'un mouvement rageur, Robert s'empara de la carabine et le poussa sans ménagement dans un racoin de la galerie, puis il lança l'engin dans l'autre angle en diagonale.

Ma femme et mon amant nourrissaient probablement des scénarios très imaginatifs de supplices variés à exercer envers ma personne. J'avais réveillé une tigresse possessive et déchaîné un papa poule explosif le même soir.

Normalement, j'aurais dû être en position de subir un éventail de punitions et de tortures à saveurs bibliques. Mais, pour une fois, la chance fut de mon bord.

À mon grand étonnement, les deux se sautèrent dessus dans un stéréotype frère et sœur ahurissant. Je ne pus que contempler la scène la bouche grande ouverte. Ils s'engueulaient avec brio, ce qui était diablement suspect, collés ensemble comme deux aimants.

J'étais renversée. Catherine était si distante avec tout le monde. On avait très peu d'amis, seulement des relations superficielles avec qui on pouvait aller au restaurant, à la limite emprunter la souffleuse l'hiver, mais rien de l'envergure de ce que je constatais à ce moment-là. Ces deux-là étaient plus que des connaissances. On pouvait le deviner juste à leur manière de s'engueuler. Chacun connaissait exactement le style de l'autre, pouvait prédire comment il allait amorcer le sujet et argumenter, chacun savait comment contre-attaquer avec la manœuvre verbale la plus efficace. Ils n'en étaient pas à leur premier tiraillage, ça, c'était ultra-clair. Ces deux-là avaient passé beaucoup, beaucoup de temps ensemble. Je commençais à réaliser l'amplitude de l'abîme qui engloutissait mon existence.

Sur cette pensée funèbre, je m'effondrai dans la seule chaise qui tenait encore. Mon geste avait eu l'air plus désespéré qu'il ne l'était, mais cela eut le mérite de déranger mes deux champions dans leur gênante tirade. Ma femme se tourna vers moi et me détailla de pied en cap. Je devais être méconnaissable. Je n'avais pas laissé mes cheveux atteindre ce volume depuis la puberté, mon visage était affreusement pâle, sans mascara ni couleur, et je portais un t-shirt d'ado attardé et des shorts de ti-cul cheap qui, malheureusement, avaient trop remonté sur mes cuisses, une fois affalée, mettant mes bleus bien en évidence.

Catherine pigea en une demi-seconde. Elle se retourna brusquement et balança son poing sur la mâchoire de Robert, qui tomba par-dessus l'autre type.

— Crisse, ton style, c'est pas le peroxyde et les ongles roses en acrylique, toé ? Ostie, Robert !

Elle s'avança pour le frapper d'un poing qui paraissait ravageur pour miraculeusement s'arrêter à quelques centimètres de son nez et changer complètement de registre de colère. Elle lui assena plutôt un chapelet étonnamment inefficace de tapes et de coups de pied dont la féminité me stupéfia. C'était très étrange de la part de mon épouse.

Robert se confondit en excuses en essayant de se protéger avec ses mains, puisant dans le catalogue d'affligeantes esquives plusieurs fois hasardées par les mâles se retrouvant dans cette navrante position de ne pas pouvoir ou vouloir cogner sur une femelle en furie.

Bref, on était de pathétiques adultes qui se chamaillaient en oubliant les enfants.

Entre deux coups, quand on vit Robert devenir gris, Catherine et moi comprîmes que le vrai malheur sonnait à notre porte.

19. *Paternalis*

Jusqu'à ce moment, on n'avait fait que s'amuser, en réalité. Catherine et moi faisions face à Robert. Il s'était recroquevillé dans l'angle du mur et fixait une silhouette entre nous deux.

Je me retournai et découvris Émilie, toute raide, droite, pointant la carabine, que l'on avait oubliée, en direction de son sale père, qui tentait une sortie.

Elle était paniquée. Elle respirait trop vite, les yeux aveugles, le doigt sur la gâchette. On s'est tous figés.

Robert cria aux autres enfants, restés en bas, de rentrer dans la cuisine tout de suite. J'étirai le cou, ils avaient senti la gravité de l'instant et se réfugièrent aussitôt à l'intérieur sans discuter.

Robert tenta de s'approcher d'Émilie.

Elle était trop apeurée, la balle prête à être tirée. Il ne pouvait avancer que de millimètre en millimètre.

Il s'ingénia à la convaincre de ne pas tirer : cela n'en valait pas la peine. Voulait-elle faire de la prison pour un maudit dégueulasse dans son genre ? Passer pour une criminelle pour le restant de ses jours ? Robert tremblait, les mains ouvertes, la voix trop haute. Je craignis que cela dilue son pouvoir de persuasion, mais ça le rendit simplement plus crédible. Je ne voyais pas très clair, moi non plus. Il l'implorait de lui faire confiance, il allait s'en occuper.

Je constatai qu'elle était sur le point d'obtempérer. Cela me remplit d'un soulagement indicible. La dernière chose que je voulais, c'était qu'elle soit traumatisée pour le reste de sa déjà fragile existence pour avoir enlevé une vie, surtout celle de son géniteur, même si c'était un trou du cul. Elle regarda son papa, le vrai, comme une enfant perdue qui vient de trouver les bras protecteurs qu'elle recherchait. Elle s'apprêtait à lui remettre l'arme quand l'idiot derrière fit une tentative pathétique de la convaincre de son innocence.

— Voyons don', Carole, j't'ai jamais fait mal, tu l'sé, ça ? J'ai toujours pris soin d'vous aut'.

Il la supplia, les larmes aux yeux. J'étais sidérée tant ça paraissait sincère. Puis, estomaquée, je compris que ça l'était. D'une certaine manière, il croyait vraiment ce qu'il disait. C'était un plaidoyer du fond du cœur.

Erreur fatale. Cela mit en aveuglante lumière à quel point c'était un chien sale. Je n'eus que le temps de voir la triste binette blanchâtre d'Émilie tourner au rouge tomate et perdre tout doute, comme un rideau qui se lève, puis le coup partit.

Robert et moi nous élançâmes vers la petite, qui se désarticula aussitôt dans nos bras. Je me retournai et constatai que Catherine s'occupait du minable, qui essayait de crier à travers sa main, qu'elle avait plaquée sur sa bouche. Il avait la gorge en sang. Émilie avait visé la face et atteint le cou. Je me dis qu'il fallait vraiment haïr quelqu'un pour le tirer au beau milieu du visage.

Avec une veine inouïe, un autre feu d'artifice débuta, pas très loin. Si nous avions un peu de chance, les voisins seraient trop paresseux pour se poser des questions ou trop frileux pour alerter quelqu'un.

Robert s'assura que je tenais Émilie fermement, puis il disparut promptement à la cuisine pour aller farfouiller dans le frigidaire. Il revint avec une seringue, qu'il déposa devant ma femme.

— Tu lui donnes ça, ça devrait le sonner sans le tuer. Je descends en bas m'occuper de ma fille.

Il asséna un solide coup sur la gueule du bonhomme pour en rajouter une couche, puis prit Émilie dans ses bras comme un bébé, sa masse impressionnante quasi évanouie. Catherine le regarda dévaler l'escalier en colimaçon ; il était étonnamment agile malgré cette ado costaude collée sur sa poitrine.

Je me retrouvai seule avec ma femme.

Je la regardai de travers, complètement tétanisée. Pour m'apercevoir que je perdais mon temps à m'inquiéter. Elle était toujours en mode gestion. Elle secoua la tête en empoignant la seringue, puis examina le type de très près. Quelque chose me fit allumer : elle ne le voyait pas pour la première fois, lui non plus.

— Trouve-moi un truc pour faire un garrot.

Elle considéra la seringue de plus près.

— Y a pas changé, Robert. Je doute que ça vienne de chez monsieur le docteur.

Je revins avec une ceinture d'homme-araignée piquée aux garçons. Les bras ballants, je pus constater avec un mélange de fascination et d'horreur que ma douce moitié administrait l'injection avec une facilité déroutante. Cela me démontrait à quel point il me manquait des morceaux de casse-tête alors que je pensais bien la connaître.

D'une certaine manière, toute cette parfaite maîtrise me rassura : j'avais en face de moi quelqu'un de posé, sécurisant, en automatisme professionnel. J'espérais que cela anesthésierait l'hydre de sa jalousie pour l'heure. Je lui demandai si je pouvais aller voir comment Émilie se portait. J'eus droit à un coup d'œil assassin, mais quand même affirmatif. Je descendis malhabilement le colimaçon en ayant l'impression qu'uniquement avec son hostilité, elle pourrait me faire trébucher.

Toute la famille était réunie autour d'Émilie, qui était couchée dans son lit, ses cheveux trop noirs contrastant sur l'oreiller blanc. Elle était complètement défaite. Robert lui caressait le front en la rassurant avec toutes les menteries auxquelles il pouvait songer à ce moment-là. Son vieux était correct, elle n'avait pas à s'en faire. C'était juste une égratignure. Ils le reconduiraient chez lui et tout irait pour le mieux. Franchement, il y mettait tant de cœur que j'en étais presque convaincue moi-même. Alors que la vérité était tout autre, il n'y avait qu'une issue possible à cette tragédie : un horrible procès où elle devrait déballer tous ses squelettes et cadavres en public et dont, malheureusement, je doutais qu'Émilie puisse sortir au quart indemne. Elle serait probablement acquittée, mais au prix d'une stabilité mentale perdue pour le reste de ses jours.

La pauvre était sur le point de décrocher de la réalité, nous reconnaissant à peine. Son père marcha vers la salle de bain et revint avec un verre d'eau et deux comprimés. Il y avait vraiment une drogue pour chaque occasion chez lui. Quoi qu'il en soit, on pouvait difficilement lui reprocher d'en user avec la petite cette fois-ci: elle nécessitait manifestement un sérieux coup de main pharmacologique. Son désespoir irradiait tout autour de la chambre et provoquait presque la nausée. À vrai dire, nous aurions tous probablement eu besoin d'une pilule magique drette là, même les gamins. Anne entreprit de grimper sur la couchette. Robert voulut dans un premier temps l'en empêcher, mais Émilie s'accrocha à la bambine comme si son salut en dépendait. Finalement, les jumeaux s'ajoutèrent sous les draps. Ils étaient tous morts d'inquiétude, comme des oisillons dans un matelas-nid, cherchant en une masse compacte du réconfort auprès de la fratrie. Robert intima à Alexandre de s'asseoir sur une chaise à côté du lit avec la mention expresse de ne pas dormir et de les surveiller. Le jeune alla quérir son cher saint bouquin et s'attela à la tâche avec un sens des responsabilités magnifié par la gravité de la situation. Il était manifeste qu'après cette soirée certains passages coraniques trouveraient une signification renouvelée.

Il était temps qu'on remonte.

Je voulais rester avec Émilie, mais j'avais un pressentiment très net que la distance entre l'étage du haut et celui du bas était probablement le maximum que je devais laisser ce soir-là entre moi et mes deux... euh... amants ?

On rejoignit Catherine en haut, elle s'était occupée du vieux, complètement dans les étoiles, qui arborait un gros bandage autour du cou et respirait calmement, couché sur le dos. Catherine demanda :

— Qu'est-ce qu'on fait, on l'amène à l'hosto ?

— Non. Je vais aller le reconduire chez lui. Il habite tout seul au milieu de nulle part dans l'est.

Les deux se regardèrent bizarrement, un long moment. J'avais l'impression qu'ils se parlaient sans mots. Le temps se figea, jusqu'à ce que mon épouse ait un mouvement d'exaspération.

— Ostie, je suis toujours dans la police, moi !

— Je comprends. Le mieux est de rentrer chez toi.

Elle agita les mains en l'air.

— Arrête, tu vas revenir comment ? En taxi ? Pas brillant !

J'essayai de déduire le cours de leurs cogitations, sans vraiment cliquer. Finalement, c'est elle qui lança le départ.

— OK ! Tu conduis son truck et je vous suis avec ta minoune.

Il acquiesça. Les deux se tournèrent vers moi. Je pigeai que, comme une valise trop encombrante, j'étais vicieusement et proprement larguée sur place.

Il n'en était pas question !

Le Créateur en personne n'aurait pas pu me convaincre de laisser ces deux moineaux-là filer seuls sans moi ce soir-là. On discuta. Robert, désespéré, argumentait pour que je reste derrière. Catherine, par antagonisme, insistait afin que je me joigne à eux.

Je compris son jeu beaucoup plus tard. Elle connaissait la suite, qu'elle savait à son avantage, et elle anticipait que je ferais une croix définitive sur les événements de la fin de semaine dans les heures pas trop glorieuses à venir.

20. Est

Ils descendirent le gars par le colimaçon, pas le choix, passer par la porte d'en avant n'aurait pas été brillant. Le triste individu était plus ou moins inconscient, plus drogué que blessé, je pense. En ce soir de fête, un observateur, si jamais il y en avait eu un, aurait conclu à une veillée un peu trop arrosée.

Ils l'assirent dans son propre pick-up, côté passager. Robert le sangla prestement avec la ceinture, puis il monta côté conducteur en démarrant sans attendre. Inutile d'inviter les problèmes en s'éternisant. Et, comme je n'avais pas cinquante-six mille options si je voulais me joindre à cette expédition de mauvais augure, je montai à côté de ma femme dans la camionnette familiale. Robert se dirigea vers l'autoroute métropolitaine en direction de l'est. Nous le suivîmes.

J'osais à peine respirer. La distance entre les deux passagers avant de cet énorme véhicule me sembla soudainement trop intime. J'étais assise droite comme une barre et je regardais l'asphalte, feignant d'être hypnotisée par la chaussée pour éviter de me focaliser sur mon épouse, qui avait entamé notre tête-à-tête par des vulgarités bien senties.

Je pense que deux choses m'ont épargné du pire ce soir-là : la gravité de la situation, qui commandait une certaine retenue, et la hargne de Catherine. Sa furie était si incommensurable que, par épisodes, l'air lui manquait, lui contractant la gorge par hoquets violents.

Tout de même, après les blasphèmes génériques, elle se lança dans le vif du sujet avec plusieurs phrases assassines. Ses propos étaient sans suite logique, avec des ruptures de ton terrifiantes, des mots saccadés, des champignons nucléaires verbaux entre des vacuums de silence tout aussi pétrifiants, mais préférables. Le tableau de bord de la camionnette, déjà à moitié hors service, en prit pour son compte. Elle le frappa de plusieurs coups de poing avec une rage métronomique.

— Geneviève, tu pouvais pas choisir un peu mieux, câlisse ? C'est pas les gars qui manquent ! Ou c'est le style chemise à carreaux, poilu, caisse de bière qui t'a toujours manqué ?

Elle donna encore un puissant coup sur le dash, qui me fit tressaillir. J'avais des crampes au ventre. La peur pure.

— En plus, une réputation de crisse de tata au lit. Ça doit être beau, vous deux ensemble !

Et bang, bang de nouveau sur le vinyle déjà craqué.

Je comprenais qu'elle essayait de me blesser parce que je l'avais trahie affreusement, mais quand même ! C'était la réflexion la plus abominable qu'on m'ait faite, et Dieu sait si j'en avais entendu, des propos blessants, dans trois cours d'école différentes. C'était une chose de le savoir, mais c'était autre chose de se le faire dire, surtout de la bouche de la femme avec qui on a partagé sa couche presque toute son existence.

Elle me regarda de côté et je me sentis vraiment comme une moins que rien, la plus nulle entre toutes les bêtes de la Création.

Elle dut se douter qu'elle m'avait poussée trop près du gouffre, car ce fut la dernière phrase meurtrière décochée à mon égard ce soir-là.

— On en reparlera à la maison.

C'était presque une promesse de calvaire à venir. J'essayai de jauger les conséquences de cette pitoyable escapade : trois jours qui menaçaient de saborder vingt ans d'accommodements à bâtir un foyer. Est-ce que je devrais rempiler également vingt ans pour retrouver la paix ? Où serait-ce encore plus long ? Peut-être avais-je commis l'irréparable ? Car si, au début, on avait commencé notre histoire sur une page blanche, maintenant, on la reprenait sur une page entachée.

On était presque sur la pointe de l'île, l'autoroute était relativement bondée avec les gens qui revenaient de fêter. On emprunta une sortie, puis, à ma grande surprise, de boulevard en boulevard et de parc industriel en parc industriel, on roula à la fin dans un coin dépeuplé, ce que j'aurais à peine cru possible sur une petite île de presque deux millions d'habitants entassés les uns sur les autres.

Robert s'arrêta devant une cambuse en bois, unique habitation dans une rue parfaitement déserte. La bicoque de deux étages devait avoir cent ans. Elle était bancale, complètement à l'écart de la civilisation, avec pour seuls voisins quelques fabriques vacantes.

Des raffineries pétrolières se dressaient à proximité, oppressantes. Derrière la cabane, il y avait une maigre forêt et, juste au-dessus de celle-ci, une lumière bleu électrique illuminait le ciel comme en plein jour. On aurait dit une aurore boréale aberrante, fabriquée par l'homme et qui ne faiblissait jamais, du soir au matin, témoin de la présence écrasante de l'usine enchevêtrée de tuyaux et de cheminées nauséabondes. L'odeur qui s'en dégageait était quasi irrespirable, impossible à identifier par sa nature synthétique.

Cette piètre demeure avait dû être un jour en plein champ verdoyant et, par son obstination à ne pas disparaître, en cours de siècle, elle s'était retrouvée dans la fange, ce que la société industrielle, désormais en déclin elle aussi, avait de pire à offrir. Penser qu'Émilie avait grandi là donnait à mon enfance dans un logement social des faubourgs des airs de paradis.

Robert sortit du camion avec les clés pour ouvrir la porte-moustiquaire, de travers comme le reste. Ma femme alla le rejoindre en m'ordonnant d'un ton qui ne souffrait aucune discussion de ne m'aventurer hors du véhicule en aucun cas.

Ils transportèrent le type évanoui à l'intérieur. Normalement, j'aurais dû suivre les instructions de Catherine à la lettre, mais cette baraque m'attirait par le fiel et la malveillance qu'elle diffusait. C'était le lieu qui avait vu naître Émilie et je voulais en savoir plus.

Je poussai la porte d'aluminium bon marché et pénétrai directement dans la cuisine à l'ancienne. Je pense que rien n'y avait été remplacé depuis trois générations. La table était en formica jaune tacheté or, craquée à plusieurs endroits et brûlée de partout par des cigarettes. Les chaises, de la même époque, étaient mal assorties, en cuirette orange, les sièges défoncés, la mousse en ressortant çà et là. Les appareils ménagers arboraient piteusement les rondeurs du design des années soixante et n'avaient guère meilleure mine. Ils étaient sales et clairement en mauvais état. Sur les murs tenait par miracle une tapisserie défraîchie et déchirée aux angles, et le plafond était couvert de taches de fumée jaunes. Autour des châssis pendouillaient des rideaux en polyester d'un vert peu ragoûtant. Curieusement, tout l'intérieur sentait encore plus fort l'odeur des raffineries que l'extérieur, comme si l'on avait mis la pestilence en flacon.

Je montai l'escalier croche menant à l'étage, et la première chambre à gauche capta instantanément mon intérêt. Je savais que ce devait être celle d'Émilie, avec un couvre-lit au crochet vieux rose délavé et une poupée de corde d'un autre siècle posée dessus. Étrange que le père l'ait laissée telle quelle, comme un sanctuaire. Les meubles étaient eux aussi très anciens, en bois noirci. Une Vierge en plastique luminescent trônait sur la commode à côté d'un cadran des années cinquante. Je constatai avec fascination qu'il devait être remonté régulièrement grâce au tic-tac métallique caractéristique de ces modèles antédiluviens qui semblait enfler dans le silence oppressant de la demeure. Une seule autre décoration, une croix au-dessus du lit, c'était tout.

Je jetai un coup d'œil à la fenêtre et je découvris une vue méphistophélique, donnant directement sur le complexe pétrolier. Toute la bête était là, à mes pieds, comme un monstre industriel s'étant dilaté, hors de tout contrôle. Les multiples spots aveuglants réverbéraient leur lumière dans l'épaisse fumée blanche des cheminées qui s'élevait au-dessus de la ville. Je remarquai que c'était tout de même assez loin, mais si vaste que, visuellement, on avait l'impression que c'était pratiquement dans la cour.

Cette visite n'avait duré qu'un court instant, mais j'en fus proprement anéantie : c'était ça, l'enfance de la petite ? Je déambulai, en larmes, vers la chambre suivante. Robert et Catherine avaient allongé le blessé sur le lit en dessous des draps et le regardaient, bras ballants, un comportement des plus étranges.

Lorsqu'ils me virent apparaître sur le seuil, ils se mirent dans une furie noire et je fus renvoyée de but en blanc à la camionnette. J'obtempérai au plus vite, mais pas à cause de leur colère. Non, j'obéis à cause de l'autre sentiment encore plus violent, glaçant, hurlant d'évidence : ils étaient terrifiés.

Je repartis vers la minoune et m'assis à l'arrière.

Catherine ressortit à peine cinq minutes plus tard, mais ne revint pas vers moi. Elle demeura au milieu du parterre en fixant le deuxième étage de la baraque. Elle attendait, me tournant le dos, les bras croisés. Je n'osai plus mettre le nez hors de l'habitacle.

Finalement, Robert émergea lui aussi. Il se planta à côté d'elle. Deux spectateurs devant la triste maison. Il alluma une cigarette pour lui et une autre pour elle. Je les voyais comme des ombres chinoises dans un mauvais film. Ma femme ne fumait jamais, au grand jamais : c'était une intégriste talibane de la santé. Pourtant, elle prit la cigarette tendue et la porta à sa bouche. J'étais estomaquée de voir à quel point ces deux-là faisaient la paire.

Je compris le spectacle qu'ils attendaient. Par la fenêtre d'en haut, les premières lueurs d'un embrasement apparurent. Il fallait déguerpir au plus sacrant.

Les deux silhouettes dans le contre-jour naissant jetèrent leurs clous de cercueil et vinrent me rejoindre en grimpant sur le siège avant. Sur le chemin du retour, pas un mot.

On venait tous de participer, à divers degrés, à un crime devant la loi de Dieu, et surtout, plus inquiétant encore, devant la loi des hommes. Celle-là était plus implacable et ne pardonnait pas.

21. Autoroute nº 3

Quand nous revînmes, vers trois heures du matin, je sentis la panique me gagner en anticipant la fin imminente.

J'allais les abandonner.

On sortit tous les trois de la camionnette. Robert s'avança vers la maison avec, je pense, l'espoir absurde que je le suive. Catherine m'entraîna plutôt vers sa jeep en me tirant par le poignet. Je lui emboîtai plus ou moins le pas, comme une chienne battue talonne sa maîtresse. Je me tournai piteusement vers lui juste avant de m'asseoir dans le véhicule et je fus frappée de constater qu'il ne me regardait pas. Ses yeux étaient comme englués vers le bas. Je réalisai soudainement, par la force du vide, à quel point il m'avait analysée, épiée, examinée, presque contemplée toute la fin de semaine, en pleine face, et à quel point ce regard détourné n'allait pas du tout.

Quand mon épouse démarra, la seule image que j'avais dans la cervelle, c'était celle des quatre enfants recroquevillés dans le lit et d'Alexandre, en triste aumônier protecteur à leurs côtés, qui ne me verraient plus au matin. Je ne pensai pas une seconde aux retrouvailles avec mon fils qui m'attendait. Voilà combien mon instinct maternel était impitoyablement, irrémédiablement fucké.

Il faisait encore nuit noire. J'étais sans ma ceinture, la tête entre les jambes, de honte ou de malheur, je ne pouvais pas le dire. C'était affreux. J'avais mal au cœur, j'étais près de vomir. Les crampes qui m'avaient torturée depuis la première décharge du vieux devenaient de moins en moins tolérables. La déchéance physique et mentale n'était plus très loin.

À mi-chemin, je dus demander à Catherine de s'arrêter subitement. Je ne pouvais plus tenir. J'eus à peine le temps de m'élancer vers le bas-côté et de baisser mes culottes que toutes mes tripes se vidèrent d'un coup. Je ne contrôlais plus rien, âme et corps en déroute. Je me mis à grelotter, puis à dégueuler. J'étais accroupie sur l'accotement de l'autoroute, les bobettes à terre, avec les phares des voitures qui m'éblouissaient à travers mes larmes. Je me savais pire que pathétique. L'homme est le seul animal qui puisse s'enfoncer dans une pareille abjection. Catherine sortit et me regarda sans expression. Je me souviens que, en m'essuyant la bouche avec le revers de la main, je pensai que je devais être bien dégueulasse. Je me dis aussi que c'était tant pis pour elle, qu'elle avait juste à ne pas venir me chercher.

Finalement, dans un mouvement d'impatience, elle enleva son t-shirt, qu'elle garrocha par terre devant moi. Fameux, elle en brassière et moi en larmes, le cul à l'air, accroupie au bord de la provinciale. On eut de la chance que personne ne s'arrête. Je pris son chandail pour me torcher et je le jetai dans les quenouilles du ravin.

Le reste du chemin, je me couchai sur la banquette arrière, le visage enfoncé dans le tissu trop rigide, les bras croisés par-dessus la tête.

Je ne fus guère moins pitoyable les jours suivants.

J'entrevis à peine mon fils, qui eut le bon sens de m'éviter.

À vrai dire, je n'étais plus moi-même, et je ne reconnaissais plus ma maison : avais-je vécu entre ces murs pâles longtemps ? Les pièces me paraissaient étonnamment grandes tant elles étaient vides et épurées de tout ce qui pourrait dépasser, détonner.

Je me tenais quelquefois au milieu du salon et j'avais l'impression d'être sur le pont d'un navire tant ça tanguait. Toute cette existence rangée derrière des portes vitrées, des armoires bien fermées, coincée dans des tiroirs, tous ces objets utilisés ou n'ayant jamais servi, tout me semblait irréel. Je regardais mes mains comme pour la première fois, elles étaient trop loin de mes bras : était-ce vraiment mes mains ? Je revenais d'un long voyage, d'un autre monde. Je ne connaissais plus mon point de départ et je ne reconnaissais plus mes doigts.

Je passais d'interminables moments, quand j'étais seule, la tête en arrière, accotée sur le dossier du sofa blanc au milieu de notre salle de séjour, le regard vers le plafond. Seul le plafond me semblait juste. Un plafond, c'est toujours vide, il n'y a jamais rien à en attendre.

Qu'est-ce que j'aurais pu faire ? Y retourner, ce n'était pas une option.

J'avais, du matin au soir, un drôle de blocage au niveau du sternum et, du soir au matin, dans le lit, une brûlure inconfortable irradiait dans mon dos et dans mon cou, et me pesait comme si j'étais perpétuellement adossée aux flammes de l'enfer. Mon cerveau était la seule partie de mon corps qui fonctionnait encore parfaitement, la seule qui soit vraie. Tout le reste, mes bras, mes jambes, mon fils rayonnant de santé, ma blonde, son corps musclé, notre maison carrée, la campagne verte autour, la ville grouillante au loin, tout me semblait aussi réel que des voxels dans un ordinateur. Sûrement, si j'appuyais sur le bouton « off », tout s'évanouirait, et ne resterait que ma cervelle inerte affalée à la face d'un univers noir et unidimensionnel.

Ce monde était pourtant le mien, même s'il était si étrange que je voulais l'oublier. C'était le seul possible.

Le temps ne fit pas l'œuvre de guérison escomptée par Catherine, au contraire. Un jour de la mi-juillet, elle me trouva assise au bord de notre lit, face au mur, à son retour du travail. C'était comme ça qu'elle m'avait laissée, le matin.

Elle s'installa à côté de moi.

— J'ai toujours su que tu me quitterais. En fait, j'ai jamais pensé que ça durerait aussi longtemps, nous deux.

Pas de réponse.

Elle fut manifestement exaspérée par mon manque d'empathie, mon incapacité à lire entre les lignes. J'avais les neurones qui glissaient sur les syllabes. Je n'entendais que des sons qui sifflaient dans l'air entre nous. Je n'en comprenais pas le sens. Je restais silencieuse. Sa tête tomba, c'est la première fois que je la voyais si abattue.

— Oui. Je l'ai toujours su.

Je la fixai en clignant des paupières sans saisir, encore un peu accrochée vers mes idées de plafond des derniers jours. Elle me regarda dans les yeux, mais les miens voguaient dans la brume.

— Tu ne le vois pas, n'est-ce pas ? Tu ne le vois toujours pas ?

Tous les fils de mon passé étaient en train de s'emmêler. Mais de quoi parlait-elle au juste ? Qu'est que je devais voir ? Pourquoi est-ce qu'elle avait toujours su qu'on ne finirait pas ensemble alors que, moi, j'avais imaginé que nous deux, c'était pour l'éternité ?

— Non.

— Alors, qu'est-ce que tu veux que je réponde à ça ? Qu'est-ce que tu veux que je te dise ?

À mon grand désarroi, je pensai que j'espérais qu'elle ne parle pas, précisément.

Quelle étrange situation : pour la première fois, elle était tout à fait vraie devant moi, vulnérable, sans réussir à me communiquer ce qu'elle voulait. Elle se montrait sans artifice, totalement nue, et je ne la reconnaissais malheureusement plus.

— Je sais pas ce qui te retient ici, mais c'est pas moi ni ton fils. Tu as juste trop peur pour bouger, mais j'en ai jusque-là de te servir de cachette. Tu vas devoir sortir du garde-robe.

Elle me regarda, résignée.

— Fais ton sac, je t'emmène.

— Où ?

— Ben voyons, qu'est-ce que tu crois ? Je viens de l'appeler, il t'attend.

Je n'osais dire quoi que ce soit, j'avais trop honte, c'est fou. Je me sentais comme un paquet de linge sale qu'ils avaient décidé de transférer d'une maison à l'autre.

Je n'emportai que ma sacoche, mes papiers importants et un sac d'épicerie dans lequel je mis quelques sous-vêtements. C'était tout. Mes vêtements d'ici me semblaient aussi peu adaptés à la vie là-bas qu'un maillot de bain sur la lune. Cela ne servait à rien de les prendre.

J'avais peur de sortir du placard, elle avait raison, naturellement.

Mais est-ce que je pourrais séjourner longtemps dans l'équivalent d'une benne à ordures pour autant ? Avec ces jeunes réfugiés dont même les pères et les mères ne voulaient pas ? Et je ne pouvais pas davantage commencer à envisager ma place à côté de Robert.

Mais je craignais encore plus de devoir avouer m'y plaire, comme une truie se vautrant dans un monticule de boue et de déchets. Est-ce que j'étais prête à me montrer à la face du monde telle que j'étais ?

J'étais si empêtrée à l'intérieur que je ne saisis pas l'importance du moment : mon couple s'était émietté en mille éclats et ceux-ci nous rentraient dans la peau à tous les trois. Ma femme me jetait dehors et allait me livrer en personne à la porte de celui qui avait pulvérisé notre mariage.

Elle m'attendait devant notre entrée de garage à côté de notre jeep.

Pour une fois, mon fils avait fermé sa sacro-sainte console de jeu portative. Il la tenait d'une main comme un talisman et, de l'autre, il s'accrochait au rétroviseur de notre véhicule en regardant Catherine, puis moi, encore en haut des marches, à tour de rôle, sans comprendre ce que ses tripes lui disaient. Il avait l'air d'un petit de trois ans terrifié qui s'est agrippé aux jambes d'une inconnue dans un magasin bondé et qui vient de réaliser avec horreur que ce n'était pas sa mère. Avec étonnement, je me rendis compte qu'il avait peur, non pas que je m'éloigne, mais que je m'approche. Il voyait ses parents se séparer et il avait déjà choisi son camp : il restait avec sa mère, la seule qu'il ait jamais chérie. Moi, j'étais le père. J'avais toujours été le père, celui dont on peut se passer, celui qu'on ne connaît pas tout à fait et qu'on craint un peu, le père absent.

C'était logique, je m'étais sans cesse sentie comme un père, même avec le ventre prêt à éclater. Je n'avais pas su quoi faire et c'est elle qui avait su. Dès l'accouchement, après avoir souhaité mourir tant la douleur avait été atroce, je m'étais montrée super maladroite, comme un père qui a l'impression d'être trop idiot pour deviner la bonne température du biberon. J'étais comme ces hommes pour qui changer des couches était une science qui les dépassait et qui, plus tard encore, perdraient patience avec une culpabilité aussi handicapante que débilitante devant leur incapacité manifeste à gérer des torrents de larmes monstrueuses avec douceur et à consoler quand un doudou ou un joujou serait égaré.

Je donnai un baiser sur la joue de mon fils, il eut un geste de recul. Je lui promis de revenir le voir et je montai en avant de la jeep en serrant dans mes mains mon stupide sac de plastique froissé avec les petites culottes de rechange dedans. J'étais en faute, je le savais trop bien. Je restai sans bouger pendant que Catherine allait reconduire Pierre-Emmanuel chez la voisine.

Elle s'assit à côté de moi sans rien dire, avant de démarrer.

J'avais l'impression qu'elle ne respirait même pas. D'un coup, elle me faisait terriblement peur. Pour la première-ment fois, je compris que pendant toutes ces années j'avais dormi au bord d'un volcan sans me poser de questions, sans remarquer les changements et la lave qui s'accumulaient. Depuis notre adolescence où nous nous étions rencontrées, nous avions toutes deux changé. Je m'étais arrondie, transformée, mes épaules étaient toujours menues, mais mon cul avait pris de l'ampleur. Je m'étais amollie et j'avais perdu le peu de force physique de ma jeunesse, ce qui n'était pas grand-chose au départ, et elle, elle… Je regardai ses mains sur le volant, puis ses bras, son torse. Pour une femme, elle était énorme, un physique de catcheuse. Elle aurait pu, sans même faire d'effort, m'écrabouiller et je voyais bien qu'à ce moment exact elle en avait envie. Toute sa posture me rappelait une bombe sur une tablette, immobile, mais au potentiel ravageur.

Les pancartes d'autoroute et les lignes blanches de la voie m'exaspérèrent encore plus que d'habitude. Je n'avais le goût ni de rebrousser chemin, ni d'arriver, ni de quitter la voiture. Je n'étais pas particulièrement pressée non plus d'être témoin de la déflagration qui s'annonçait à la descente.

On s'arrêta dans la rue, juste en face de la maison. Je ne savais plus quoi faire. Je ne voulais affronter personne, j'en avais ma claque.

Mais plus rien n'était modifiable, les bases de l'entente entre elle et lui s'étaient écrites sans que j'y participe. L'encre était séchée, l'accord entre les deux parties, signé avant même que j'entre en scène.

Nous étions garées et Catherine ne bougeait toujours pas. Puis, comme une détonation dans le silence:

— Il m'a sauvée.

Je sursautai et me sentis blanchir, le visage gourd. Je lui jetai un coup d'œil inquiet. Elle était immobile, les mains écartées sur le volant, les yeux vacants, figée comme un robot. Elle continua, d'un chuchotement préoccupant pour qui la connaissait:

— Il a pris ma place, juste comme ça. Il a toujours été un macho, un vrai, à l'ancienne, qui traite les femmes comme des petites choses fragiles, même avec moi. Je te dis, tout le monde trouvait ça super drôle au poste qu'il joue au chevalier servant avec la «Terminatrice». Ça m'énervait, bien sûr, on se chicanait, mais je le laissais pas faire et, au bout du compte, j'étais une des rares qui arrivait à gérer son caractère de cochon.

Elle continua:

— Ce jour-là, il a insisté pour que je reste dans le char. Il est allé voir tout seul. C'est la seule fois où je l'ai pas astiné. On avait tous les deux un mauvais feeling que ce serait pas un truc à voir. On avait raison. Juste pour te dire, un des inspecteurs qui est allé après lui s'est tiré une balle, il y a un an.

Elle soupira.

— Il avait jamais été un gars ben stable, mais, après cette mautadite journée, il a plus jamais été correct. Fini. Il était constamment désorganisé, démonté, quand c'était pas gelé et paqueté.

Elle se tourna vers moi, fixant curieusement un point au-dessus de mon front.

— Quand il est parti, on s'est tous dit qu'il gérait plus la pression. Même moi, je voulais plus lui parler, j'étais en tabarnak pour la crise qu'il avait faite dans notre entrée de garage avec ton auto.

Elle me regarda, s'attendant à une réaction de ma part. Je ne bronchai pas, à peine surprise. Elle reprit :

— Je m'étais doutée que c'était l'affaire de la petite Chouinard qui l'avait fait basculer pour de bon. Elle ressemblait trop à l'autre cas, mais en vie, celle-là. Pourtant, jamais j'ai pensé que j'avais frappé dans le mille à ce point-là.

Elle se tourna soudainement complètement vers moi, presque en position d'attaque, exaspérée :

— Et là, toi, tu disparais en fin de semaine, et quand je te retrouve, c'est avec qui ? Câlisse ! J'ai toujours su qu'un jour tu me plaquerais, mais tu pouvais pas en choisir un moins fucké, un que je connais pas ?

Je protestai avec véhémence, je n'avais jamais eu l'intention une minute de l'abandonner.

Avant que j'aie le temps de réagir, elle descendit de la jeep et claqua la porte avec force.

J'étais dévastée. J'avais trahi tout le monde autour de moi : j'avais trahi ma femme, j'avais trahi mon fils, j'avais trahi Robert, j'avais trahi Émilie, j'avais trahi les enfants. Je me recroquevillai sur mon siège, cramponnée à mon sac ridicule, voulant juste crever.

Ce fut le moment où mon épouse me surprit tout à fait : elle ouvrit ma portière d'un coup brutal et, sans prononcer une parole de plus, en un éclair, elle me souleva du banc par le collet. J'en eus le souffle coupé et mon col me rentra dans le cou.

Elle m'empoigna très efficacement par la ceinture de l'autre main et me suréleva de quelques centimètres, au point où je ne foulais plus le sol. Elle me monta jusqu'à la porte d'entrée du deuxième, mes pieds frôlant à peine les marches. Devant le seuil, elle me relâcha à la taille, mais je restai accrochée au niveau du cou.

Elle frappa d'un poing rageur la sonnette une fois, longtemps. La porte s'ouvrit tout de suite, il devait nous avoir observées quand nous parlions dans l'auto. Sans dire un mot, Catherine me transféra par le collet, comme une poche de patates, et il me prit par l'autre côté du col, les yeux braqués sur elle, pas sur moi. Je ne touchais pas encore terre, ils avaient fait ça si rapidement tous les deux que je n'avais pas eu le temps de penser.

Le ton de Robert me surprit. Il était trop neutre, trop calme.

— Merci. Merci beaucoup.

Ma femme ne répondit pas. Elle tourna les talons et descendit toutes les marches sans se retourner. Nous la regardâmes tous les deux s'éloigner, moi toujours à moitié pendue. Quand la jeep eut remonté la rue, il referma la porte du pied et me laissa tomber sur le plancher sale comme un paquet de guenilles. Je n'avais plus aucune espèce de réflexe. Je m'étalai sans grâce entre les souliers de l'entrée.

Il se pencha vers moi, tous crocs dehors.

— Peux-tu m'expliquer comment ça se fait qu'elle a été obligée de venir te décharger ici comme un sac de vidanges ? Tu pouvais pas monter dans ton char, prendre l'autoroute et venir par toi-même ? C'était vraiment pas envisageable, ça ?

Je l'ai regardé, les yeux ronds comme des vingt-cinq cennes, en clignant des paupières. Je n'avais jamais vu personne maigrir si vite. Il avait le teint cireux, jaunâtre. À quoi avait-il carburé ? Sa pisse ? Les enfants s'avancèrent pour le rejoindre. J'eus six paires de pupilles noires qui attendaient impatiemment la réponse à sa question. J'ai répondu, fidèle à moi-même :

— Je sais pas.

Puis j'ai braillé. Sans aucune bienséance, en ne mettant même pas les mains devant ma bouche, en bavant et en coulant du nez, comme un bébé sortant du ventre de sa mère, encore enduit de placenta et qui découvre le monde. Je fus pathétique.

Finalement, j'étais très contente de les revoir, tous.

22. Sofa

Plus tard, dans la soirée, après un festin de lasagne congelée, les jumeaux nous demandèrent de poser pour une photo de famille en prévision d'un atelier qu'ils devaient organiser à leur camp de jour. Je fus sommée de me joindre à la tribu. L'appareil photo fut planté sur le meuble du téléviseur et on s'installa en vitesse sur le sofa avant le flash.

Moi qui avais toujours l'air d'un bonhomme qui sort d'une boîte à surprise sur les photos, invariablement de trop dans un portrait de famille, on ne peut pas dire que cette initiative me remplit d'aise, surtout après m'être mouchée toute la soirée avec un rouleau et demi de papier de toilette. J'avais le pif rougi et enflé, mais je sentais bien, pour les enfants du moins, que ce cliché scellait mon retour.

Il y eut un mouvement général d'agglutination autour du sofa bancal pour l'assemblage familial. Robert s'assit au milieu, comme il se doit, et m'agrippa sans cérémonie par le cou pour que je prenne position à côté de lui; Alexandre et Émilie suivirent, non sans exprimer leur mécontentement. À mon grand étonnement, la petite Anne grimpa sur mes genoux, ses mains miniatures comme des caresses sur mon courage incertain. Un des jumeaux s'assit sur le sol en avant, et l'autre, devant le téléviseur, déclencha la minuterie et courut pour venir se placer ventre à terre en criant comme un défoncé : « CHEEEEESE ! »

« Clic ! »

Nous avions tous été pris sur le fait au milieu de notre préparation.

Marc s'élança vers l'appareil pour admirer l'instantané. Je craignais le pire. Le Kodak fut échangé de main en main pour contempler l'œuvre. Assez bizarrement, personne ne semblait s'étonner du portrait de famille résultant. Tous trouvaient le produit manifestement adéquat.

Je reçus l'objet la dernière.

Je fus sans voix.

On avait tous l'air imbéciles : j'agrippais Anne pour qu'elle ne glisse pas de mes genoux tant elle gesticulait d'excitation. Je notai avec quelle évidence on se ressemblait avec nos crinières en explosion perpétuelle. Robert m'examinait, comme d'habitude, Alexandre tenait Marc par l'épaule, et Émilie, radieuse, retenait Sébastien par le cou et me regardait, presque les yeux brillants.

J'étais assise au milieu.

Je souriais.

En d'autres mots, pour la première fois depuis vingt ans, je paraissais à ma place dans un fichu portrait de famille.

M
MARQUIS
Québec, Canada